ON NE BADINE PAS AVEC L'AMOUR

P.-G. CASTEX

Membre de l'Institut
Professeur à la Sorbonne

ÉTUDES SUR LE THÉÂTRE
D'ALFRED DE MUSSET

★ ★

ON NE BADINE PAS
AVEC L'AMOUR

PRÉSENTATION, ÉDITION ET COMMENTAIRE

SOCIÉTÉ D'ÉDITION D'ENSEIGNEMENT SUPÉRIEUR
88, boulevard Saint-Germain
PARIS Ve

ISBN 2-7181-0540-2

AVERTISSEMENT

Sous le titre global « Études sur le théâtre d'Alfred de Musset », nous avons publié en 1978 un premier volume consacré aux *Caprices de Marianne*. Celui-ci, qui concerne *On ne badine pas avec l'amour*, en est le pendant.

Les deux monographies sont conçues dans le même esprit et présentent une structure analogue : le texte de la pièce est précédé d'un ensemble de données historiques ou biographiques qui aident à en reconstituer la genèse, et suivi d'un commentaire littéraire qui en aborde les aspects essentiels.

Elles s'appliquent d'ailleurs à des pièces qui offrent entre elles de frappantes analogies. Dans l'une et dans l'autre, des personnages grotesques apportent des éléments comiques à une action qui, progressivement, va les éliminer. Dans l'une et dans l'autre, l'ossature du drame est constituée par une suite de scènes qui opposent les deux protagonistes : Octave et Marianne, Perdican et Camille. Dans l'une et dans l'autre, ces deux protagonistes, au dénouement, sont séparés et plongés dans le malheur par la mort d'un être innocent, dont ils peuvent se juger responsables. Perdican et Octave ressemblent tous deux à leur créateur ; Camille et Marianne se ressemblent entre elles, par leur exigence d'absolu, par leur caractère passionné, par leur orgueil surtout, qui, toutes deux, les perdra.

Musset avait vingt-deux ans quand il écrivit *Les Caprices de Marianne* ; vingt-trois quand il écrivit *On ne badine pas avec l'amour*. Dans l'intervalle sont nés *Fantasio* et *Lorenzaccio*. Quatre pièces importantes en quinze mois ! Une telle richesse de sève est étonnante. Le génie du dramaturge éclate dans une explosion de jeunesse. Seule la dernière, cependant, est postérieure à l'aventure vénitienne avec George Sand. Elle porte, nous le verrons, des traces du climat sentimental nouveau dans lequel elle a été conçue.

1

PRÉLIMINAIRES

MUSSET EN 1833 ET 1834

LA LIAISON AVEC GEORGE SAND

Les Caprices de Marianne avaient été publiés, dans la *Revue des Deux Mondes*, le 15 mai 1833. C'est au cours du mois suivant que Musset devait se lier avec George Sand. Il fut son voisin, le 19 juin, lors d'un dîner offert par Buloz aux collaborateurs de son périodique. Quelques jours plus tard, il lui adressait une pièce en vers, quelque peu indiscrète, sur *Indiana* ; elle le remercia avec une intelligente dignité. Puis on procéda à un échange d'œuvres inédites : *Rolla* et *Lélia*. Au début de juillet, George Sand reçut de Musset une lettre d'amour ; à la fin du mois, elle devenait sa maîtresse. En août, les deux amants séjournèrent à Fontainebleau ; puis la liaison se poursuivit à Paris jusqu'à la fin de l'automne.

Le 12 décembre, George Sand et Alfred de Musset partirent pour l'Italie. Ils s'arrêtèrent à Gênes, à Pise, à Florence ; ils arrivèrent à Venise le dernier jour de l'année. Pendant le voyage, George Sand a été malade. En janvier 1834 naquirent des malentendus sérieux, créés par la légèreté de Musset. Le 7 février, il tomba malade à son tour (fièvre typhoïde ou infection paludéenne) ; elle le soigne avec dévouement pendant dix-sept jours et dix-sept nuits, assistée du docteur Pagello. Vers la fin du mois, elle devient la maîtresse de Pagello. Musset ne croit pas, au début, à la réalité d'une liaison charnelle avec ce personnage, dont il était devenu l'ami, mais à un amour « moral ». Généreusement, douloureusement, il s'efface et quitte Venise pour Paris le 29 mars ; George Sand reste en Italie avec Pagello.

Pendant tout le printemps de 1834, Musset et George Sand demeurent en correspondance suivie. Musset comprend bientôt que Pagello est devenu l'amant de George Sand, mais suppose que l'événement est postérieur à son départ. Il considère qu'elle est libre ; il lui souhaite tout le bonheur possible, se déclare prêt à aimer lui-même de nouveau ailleurs. Le ton des lettres est celui d'une amitié confiante, parfois exaltée, souvent émue au souvenir d'une liaison dénoué sans rupture.

George Sand rentre à Paris en août 1834 ; cette liaison va reprendre et se prolonger, de la façon la plus cahotée, jusqu'au 6 mars 1835, date de la séparation définitive, décidée par elle. Nous n'avons pas à en suivre les derniers épisodes, puisque *On ne badine pas avec l'amour* a paru, dans la *Revue des Deux Mondes*, dès le 1er juillet 1834. A cette date, Musset ignore encore que George Sand s'est donnée à un autre homme alors que lui-même était encore à Venise et relevait de maladie : il n'apprendra toute la vérité que quelques mois plus tard, par son ami Alfred Tattet, lui-même instruit grâce à des confidences de Pagello. Donc il n'a pas encore touché le fond du désespoir. Volontiers, même, et non sans quelque complaisance littéraire, il considère rétrospectivement son aventure comme exemplaire : « La postérité », écrira-t-il encore à George Sand au mois d'août, « répètera nos noms comme Roméo et Juliette, comme Héloïse et Abélard ». Telle est l'atmosphère psychologique dans laquelle a été écrite sa nouvelle pièce.

« FANTASIO » ET « LORENZACCIO »

Il convient de situer brièvement les deux œuvres dramatiques, contemporaines de la liaison avec George Sand, qu'encadrent, selon l'ordre de composition, *Les Caprices de Marianne* et *On ne badine pas avec l'amour*.

Fantasio a paru dans la *Revue des Deux Mondes* le 1er janvier 1834. C'est l'histoire, apparemment anodine, d'un jeune bourgeois de Munich qui, pour sauver la fille de son roi d'un mauvais mariage imposé par des convenances

diplomatiques, s'introduit dans le palais royal sous le tra-
vestissement d'un bouffon et qui parvient à ses fins au prix
d'une bouffonnerie particulièrement ingénieuse. La princesse Elsbeth est un personnage un peu pâle, après l'inquiétante Marianne. L'héroïne des *Caprices* s'opposait à Octave en
une suite d'escarmouches serrées qui préparaient le drame ;
dans *Fantasio*, s'il y a quelques dialogues émouvants entre
la princesse et le bouffon, le personnage qui donne son nom
à la pièce est le seul qui ait une importance véritable : l'essentiel de l'œuvre tient dans cette longue et émouvante scène de l'acte premier où Fantasio, conscient de son oisiveté
et de son inutilité, épanche son état d'âme en présence de
son flegmatique ami Spark.

Parmi tous les fantômes du miroir créés par le génie lyrique et dramatique de Musset, Fantasio est bien l'un des
plus vivants. Il ressemble certes à Octave, quand il se décrit
« le mois de mai sur les joues » et « le mois de janvier dans
le cœur », ou quand il s'abandonne à une verve inspirée, ou
quand il exprime sa philosophie sceptique, son étonnement
au spectacle d'un univers où il ne discerne aucune loi et où
il se plaît à voir l'œuvre du hasard. Mais peut-être a-t-il des
accents plus profonds encore qu'Octave, et plus modernes,
pour traduire son expérience de l'absurde, sa conscience
d'une séparation irrémédiable entre les êtres, dont chacun
garde son secret et subit sa solitude :

> Hélas ! tout ce que les hommes se disent entre eux
> se ressemble ; les idées qu'ils échangent sont presque
> toujours les mêmes dans toutes leurs conversations ;
> mais, dans l'intérieur de toutes ces machines isolées,
> quels replis, quels compartiments secrets ! C'est tout
> un monde que chacun porte en lui ! un monde ignoré
> qui naît et qui meurt en silence ! Quelles solitudes que
> tous ces corps humains !

D'autre part, un problème se pose explicitement à
Fantasio, qui cherche quelle justification donner à l'existence. Octave semblait subir son libertinage avec une sorte
de paresse ; Fantasio a l'esprit plus actif en face de l'énigme

du monde : il tente d'échapper à sa solitude. Il ne s'en tient pas aux chimères plaisantes que son imagination lui crée ; il se donne un projet qui, sous des aspects un peu fous, est animé par un sentiment généreux : sauver la princesse Elsbeth. Ce projet aboutit, sans le sauver lui-même, il est vrai, puisqu'il est rendu, après l'aventure, à son irrémédiable désœuvrement de jeune bourgeois sans métier. Il avait eu ce mot profond : « Il n'y a pas de maître d'armes mélancoliques ». Dessaisi de son emploi et du costume de bouffon sous lequel il avait su agir, le voilà rendu à son mal. Mais sans tragédie : la pièce finit même sur un mot plaisant. Tout autre sera le climat de *Lorenzaccio*.

Lorenzo de Médicis, en effet, est un Fantasio tragique. Comme Fantasio, et comme Octave, il s'arrache à son libertinage pour agir. Il a choisi, lui, l'action publique. Sous le masque du débauché qu'il demeure, et qui empêche de deviner ses intentions, il prépare l'assassinat d'un tyran. La conspiration réussit, mais en vain. Lorenzo ne sauve pas le peuple florentin, qui tombe sous la domination d'un nouveau maître. Il semble qu'à travers *Lorenzaccio* s'exprime l'idée que toute action, si noble soit-elle au départ, est décidément inutile. Aussi verra-t-on Musset revenir désormais à de nouvelles méditations sur l'amour, qui était si étrangement absent de *Lorenzaccio* et qui, dans son expérience intérieure, sous l'effet de l'aventure avec George Sand, lui apparaît désormais comme la grande affaire de la vie.

Il convient de préciser, contrairement à une erreur longtemps répandue, que *Lorenzaccio* est antérieur à *On ne badine pas avec l'amour*, comme au drame vécu par Musset à Venise. Certes, la pièce a été entreprise à une date où Musset connaissait déjà George Sand. C'est même George Sand qui lui en a fourni le cadre historique, en lui révélant un texte de Varchi et en lui proposant l'esquisse inédite d'un drame conçu autour des événements rapportés par ce chroniqueur italien. Mais *Lorenzaccio* était déjà composé en épreuves lorsque Musset partit avec elle pour l'Italie : le point a été définitivement élucidé par Jean Pommier, qui a publié une lettre à Buloz, timbrée de Venise et datée du 27 janvier 1834, autorisant le directeur de la *Revue des Deux Mondes* à publier la pièce en son absence, s'il le fallait. C'est encore à Jean Pommier, comme nous le verrons, qu'est due, au sujet de *On ne badine pas avec l'amour*, une certitude inverse : cette nouvelle pièce est postérieure au retour de Venise.

GENÈSE DE LA PIÈCE

LES DEUX FRAGMENTS EN VERS

Le nom de Perdican, qui sera celui du protagoniste masculin de *On ne badine pas avec l'amour*, apparaît pour la première fois sous la plume d'Alfred de Musset dans un fragment poétique dialogué de cinquante-deux vers entre un héros et un chœur. Ce personnage, fils d'un guerrier, pleure sur la tombe de son père. Le chœur, formé de compagnons d'armes du défunt, le conjure de ne pas s'abîmer dans un désespoir stérile, l'invite à secouer son oisiveté, à s'équiper pour la guerre ; quelques-unes de ses paroles seront reprises par la Muse, en 1835, dans *La Nuit de Mai* :

> Laisse-la s'élargir, cette sainte blessure
> Que les noirs séraphins t'ont faite au fond du cœur :
> Rien ne nous rend si grands qu'une grande douleur.

Il n'existe aucun rapport entre ce début de poème dramatique et *On ne badine pas avec l'amour*, en dehors d'un nom de héros et de l'emploi d'un chœur. Mais d'un autre fragment dialogué, intitulé *Camille et Perdican*, naîtra, en prose rythmée, la première scène de notre pièce. Voici ce dialogue, d'après la copie autographe du fonds Lardin de Musset, qui diffère légèrement du texte révélé en 1861 par Paul de Musset (1) :

_____

(1) Compte rendu de la création de *On ne badine pas avec l'amour*, publié le 25 novembre 1861 dans la *Revue Nationale*.

Le Chœur

Sur son mulet fringant doucement ballotté,
Dans les bluets en fleur, messer Blazius s'avance,
Gras et vêtu de neuf, l'écritoire au côté.
Son ventre rebondi le soutient en cadence.
Dévotement bercé sur ce vaste édredon,
Il marmotte un *Ave* dans son triple menton.
Salut! maître Blazius; comme une amphore antique,
Au temps de la vendange on vous voit arriver.
Par quel si grand bienfait de ce ciel magnifique
Voit-on sur nos coteaux votre astre se lever ?

Blazius

Si vous voulez apprendre une grande nouvelle,
Apportez-moi d'abord un verre de vin frais.

Le Chœur

Voici, maître Blazius, notre plus grande écuelle ;
Buvez ; le vin est bon ; vous parlerez après.

Blazius

Apprenez, mes enfants, le sujet qui m'amène :
Le jeune Perdican, à sa majorité,
Vient de sortir docteur de l'Université.
Il revient au château, la bouche toute pleine
De discours si savants et de mots si fleuris
Qu'on ne sait que penser, tant on en est surpris !
Toute sa gracieuse et modeste personne
Est un beau livre d'or, où le savoir rayonne,
Il ne voit pas à terre un brin de romarin
Qu'il ne dise comment on l'appelle en latin.
Il connaît par leurs noms les Empereurs de Rome ;
Il vous expliquerait, rien qu'avec une pomme,
Comment la terre tourne, et, quand il fait du vent,
Ou qu'il pleut, il vous dit pourquoi tout clairement.
Vous ouvririez des yeux grands comme cette porte,
De le voir dérouler un des beaux parchemins
Qu'il a coloriés d'encres de toute sorte,
Sans rien dire à personne et de ses propres mains.
Enfin, c'est un garçon comme on n'en trouve guère,
Et son maître m'a dit, lorsque je l'ai payé,

Qu'il en sait plus que lui d'une grande moitié.
Voilà ce que je viens annoncer à son père.
Quand il avait quatre ans, j'étais son gouverneur ;
Vous sentez que cela me fait beaucoup d'honneur.
Ainsi donc, mes enfants, apportez une chaise,
Que je descende un peu sans me rompre le cou,
Car ma mule est rétive, et je serais bien aise,
Avant d'entrer là-bas, de boire encore un coup.

Ces deux fragments ne sauraient être postérieurs au voyage à Venise : on verra que Musset les avait parmi ses papiers en Italie. Dans le premier, le ton un peu grandiloquent, la forme du dialogue entre un personnage et un chœur, la détresse morale de ce personnage rappellent *La Coupe et les Lèvres*, poème dramatique de 1832 ; Jean Pommier a fait observer, en outre, qu'il existe quelque analogie entre la situation de Perdican et celle d'Alfred de Musset lui-même en 1832 : le jeune poète avait perdu son père et, selon son frère Paul, songeait, par désespoir, à s'engager dans les hussards ou dans les lanciers. Quant au second fragment, si proche du début de *On ne badine pas avec l'amour,* il date, au plus tard, de 1833. Faut-il croire que la rédaction de la pièce en prose ait été amorcée dès cette année-là ?

LA PIÈCE EN PROSE

L'hypothèse traditionnelle : deux phases (1833 et 1834).

Dans une conférence prononcée à l'Université des Annales en 1920, Henry Bidou, critique dramatique alors renommé, soutint que cette pièce « semble faite de deux morceaux de deux époques différentes ». Les deux premiers actes, déclarait-il, « correspondent tout à fait aux idées de Musset au début de 1833, à ses premières causeries avec George Sand, et sans doute à leurs premières querelles. Mais le dernier acte et une partie du second sont de Musset après la grande épreuve d'Italie. C'est ce Musset qui a tant souffert et qui, dans la souffrance, a trouvé un génie nouveau. » Voilà comme un écho de la formule, d'un schématisme simpliste, autrefois énoncée par Emile Faguet : « Avant Venise, le talent ; après Venise, le génie ».

Pierre Gastinel, dans son livre sur *Le Romantisme d'Alfred de Musset*, a accrédité la même opinion en recourant à d'autres considérations. Notamment, selon lui, la conception et la mise en scène des fantoches (Bridaine, Blazius, dame Pluche ou le baron), dont le rôle est si important au cours des deux premiers actes, suppose une floraison de verve peu compatible avec l'état d'esprit où se trouvait Musset après Venise. Cet argument apparaît faible. Les fantoches sont encore présents à l'acte III, et l'amenuisement de leur rôle s'explique assez par la progression dramatique de la pièce. D'ailleurs, Musset, à son retour d'Italie, a cherché la distraction, la gaieté, et, malgré l'affliction de l'épreuve subie, ne s'est pas abîmé dans le chagrin.

D'une manière générale, la thèse de Bidou et de Gastinel accorde trop aux incidences virtuelles de la biographie sur la création littéraire. Un écrivain, un dramaturge surtout, se façonne aux nécessités de l'œuvre en chantier, se préoccupe d'en faire une réalité autonome et utilise, pour y parvenir, bien des éléments étrangers aux épisodes immédiats de sa vie. En l'espèce, à l'hypothèse fragile des anciens commentateurs ont été opposées des raisons de fait, que nous reprenons à notre compte.

Date probable : mai-juin 1834.

Le fragment poétique *Camille et Perdican* a été publié par Paul de Musset, en 1861, avec le commentaire suivant : « Ce début était écrit avant que l'auteur eût fait le plan de sa comédie. Lorsqu'il eut réfléchi aux sentiments qu'il y voulait développer, aux passions et aux caractères des personnages, il comprit que, dans une composition de ce genre, la prose convenait mieux que les vers. » Ce témoignage tend à marquer une coupure entre les fragments en vers et la pièce ; il donne en tout cas à penser que la mise en prose n'a pas été immédiate.

Dix ans plus tard, dans sa biographie de son frère, Paul de Musset est revenu, dans des termes légèrement différents, à ce problème de genèse. L'écrivain, déclare-t-il, avait commencé par tracer « en quelques lignes le plan d'une comédie, sous le titre provisoire de *Camille et Perdican* ; il en avait même écrit l'introduction en vers ». Une « introduction » et « quelques lignes » de plan : nous sommes loin, de toute façon, des deux actes qui, selon Bidou et Gastinel, auraient été rédigés, l'un en entier, l'autre en grande partie, avant Venise. Le contexte de Paul de Musset montre bien que, pour lui, tout l'essentiel de *On ne badine pas avec l'amour* est postérieur au séjour en Italie : « Nous l'engageâmes [après son retour], par une manière de passe-temps, et pour mesurer l'état de son esprit, à écrire un proverbe en prose. Pour complaire à Buloz, qui avait besoin pour [la *Revue des Deux Mondes*] de morceaux d'imagination, Alfred essaya de se remettre au travail ». Et le biographe ajoute : « La pièce, qui fut appelée *On ne badine pas avec l'amour*, porte en quelques passages les traces de l'état moral où était l'auteur ».

Bref, pour Paul de Musset, les quarante-deux vers de *Camille et Perdican*, composés « depuis longtemps », ont fourni un tremplin de départ à un travail qui, pour tout le principal, date du printemps de 1834. On a eu tort de ne pas prendre davantage au sérieux une indication qui vient d'un témoin aussi proche.

La valeur du témoignage fourni par Paul de Musset se trouve confirmée grâce à un argument de Jean Pommier. Déjà, dans son livre *Variétés sur Alfred de Musset et son théâtre* (1947), ce critique avait manifesté quelque réserve à l'encontre de la position défendue par Gastinel, et suggérait que la partie de la pièce antérieure au voyage en Italie pouvait bien se limiter à quelques scènes ; mais il admettait encore l'idée d'une genèse en deux phases distinctes. Dans *Autour du drame de Venise* (1958), il adoptait une position plus tranchée et renversait l'hypothèse traditionnelle, en faisant état du contenu d'un certain « buvard de George Sand ».

Le 15 avril 1834, en effet, George Sand écrivait d'Italie à Musset, qui venait de regagner Paris : « Je te fais passer une lettre de ta mère, que j'ai reçue ces jours-ci, plus les vers que tu as oubliés dans mon buvard, et que je recopie pour qu'ils tiennent moins de place. » Or, ces vers étaient les deux fragments dialogués que nous avons signalés.

Sans s'attarder à discuter l'hypothèse peu vraisemblable selon laquelle Musset aurait pu composer ces deux morceaux à Venise, Jean Pommier suppose qu'il les avait apportés pour en tirer quelque chose. Or *Camille et Perdican* est l'ébauche en vers de la scène initiale : si Musset a jugé bon de la mettre dans ses bagages, c'est sans doute qu'il ne l'avait pas encore transcrite en prose ; à plus forte raison n'avait-il pas rédigé la suite. Donc « il faut renoncer à croire que *Badine* a été composé en deux temps, *avant* et *après* le voyage en Italie [...] le voyage en Italie n'a pas interrompu deux ouvrages en train, *Lorenzaccio* et *Badine*. Quand il partit le 12 décembre 1833, Musset avait fini son drame, et il n'avait pas commencé sa comédie. »

La démonstration semble définitive. Le 19 avril 1834, comme le révèle une lettre de Musset à George Sand, Musset, mal remis de son épreuve et torturé par la nécessité de produire, constatait : « Je ne sais pas comment faire à Buloz une malheureuse comédie — faire une comédie ! dont je lui dois déjà le prix. » Or, vers le 27 (si l'on tient compte du délai ordinaire de transmission pour le courrier d'Italie), il recevait, par une attention de son amie, la copie d'un texte qu'il avait laissé à Venise, et qu'il décide d'utiliser. Il rédige sa pièce en six semaines environ (comme *Les Caprices de Marianne*), pendant le mois de mai et la première quinzaine de juin ; elle paraît dans la *Revue des Deux Mondes* dès le 1er juillet.

LA PIÈCE ET LE THÉÂTRE DU TEMPS

RÉFÉRENCES TRADITIONNELLES

Les historiens d'autrefois ont indiqué, pour *On ne badine pas avec l'amour*, de prétendues « sources » classiques, généralement fort contestables. Ainsi doutera-t-on qu'Alfred de Musset ait une dette particulière à l'égard de Molière, malgré la ferveur de son admiration pour l'auteur du *Misanthrope*. Si son frère a pu écrire que le sujet du *Dépit amoureux* « offre quelque analogie avec la guerre amoureuse de Camille et de Perdican », cette analogie demeure lointaine et générale. Lointaine aussi, la ressemblance entre la tactique de Don Juan avec les deux paysannes et celle de Perdican avec Rosette. Lointaine encore, la parenté entre la scène de Musset où Camille invite son oncle à employer son autorité pour empêcher Perdican d'épouser sa sœur de lait Rosette et celle de *La Princesse d'Elide* où l'héroïne supplie son père de s'opposer au mariage d'Euryale avec sa cousine Aglante : certes, dans les deux cas, l'amour du jeune homme pour la rivale est une feinte ; mais il n'est nullement nécessaire de conclure à une réminiscence.

Les rapprochements entre Musset et Marivaux ne sont pas plus consistants : des rencontres étaient fatales, puisque les deux dramaturges abordaient le problème éternel du jeu de l'amour et de l'orgueil. Pas davantage, nous ne croyons devoir reconnaître, comme Lafoscade, aux personnages de fantoches des modèles shakespeariens. Les souvenirs du *Faust* de Gœthe nous semblent également conjecturaux : qu'importe, si Méphisto dit à Faust « Monsieur le Docteur » comme Rosette à Perdican, et si Marguerite témoigne d'une grande révérence pour la science de Faust, comme Rosette pour celle de Perdican ?

Plus spécieuse est l'analogie, souvent signalée, entre *On ne badine pas avec l'amour* et *Clarisse Harlowe* de Richardson, roman bien connu de Musset. Pour fléchir l'orgueilleuse Clarisse, Lovelace fait la cour à une paysanne de dix-sept ans, Bouton de Rose, qui, comme Rosette, est la rusticité même. Mais Lovelace, séducteur professionnel, prisonnier de sa mauvaise renommée, est bien différent de Perdican ; d'ailleurs, Lovelace renonce à séduire Bouton de Rose, alors qu'elle s'est mise à sa merci, et pour cette raison même : générosité qui fortifie l'amour de Clarisse pour lui. Quand on relit le roman anglais, on s'aperçoit que les commentateurs, comme il arrive souvent, ont masqué ou ignoré de telles dissemblances, pour ne retenir que la ressemblance des situations. En fait, la filiation, donnée quelquefois pour évidente, demeure incertaine.

MUSSET ET LE GENRE DU PROVERBE

L'exemple des *Caprices de Marianne* et du récit de Tieck publié par la *Revue de Paris* (1) montre que l'actualité littéraire pouvait fournir à Musset un point de départ beaucoup plus direct et immédiat qu'un texte classique, même incontestablement connu. Pour *On ne badine pas avec l'amour*, c'est le théâtre du temps qui fournit les rapprochements les plus intéressants.

Un problème général se pose d'emblée : celui des rapports de la pièce avec le genre à la mode qu'est le Proverbe. *On ne badine pas avec l'amour* est, en effet (avant *Il ne faut jurer de rien*, avant *Il faut qu'une porte soit ouverte ou fermée*), le premier « proverbe » donné par Musset comme tel. Mais le goût des proverbes remonte, chez lui, à l'adolescence : les titres *Les Marrons du feu*, *La Coupe et les Lèvres* sont déjà empruntés à des proverbes. Ainsi se pla-

_____

(1) Voir notre ouvrage sur *Les Caprices de Marianne*, p.22 et suivantes.

çait-il dans la lignée d'une tradition qu'il est possible de décrire à grands traits.

Dès le XVIIème siècle, à l'Hôtel de Rambouillet, les proverbes donnaient prétexte à des énigmes ; plus tard, Mme de Maintenon en porta quelques-uns à la scène pour l'édification des demoiselles de Saint-Cyr. Mais le genre mondain du proverbe dramatique fut institué au siècle suivant par Carmontelle et le succès en fut lié à la vogue des théâtres de salon. Or on sait que la mère de Musset était fille d'un avocat lettré fort lié avec Carmontelle, et que Musset imitera Carmontelle de fort près dans *On ne saurait penser à tout*, ainsi que dans *L'Ane et le Ruisseau*.

Selon Carmontelle, qui cultive encore l'énigme, « le mot du proverbe doit être enveloppé dans l'action » et « si les spectateurs ne le devinent pas, il faut, lorsqu'on le leur dit, qu'ils s'écrient : Ah ! c'est vrai ! » Ainsi, dans *La Diète,* le proverbe à trouver est : « Il faut savoir hurler avec les loups » ; dans *Les Voisins et les Voisines* : « Qui trop embrasse mal étreint ». D'autre part, les proverbes de Carmontelle ne sont donnés que comme des modèles développés d'un genre qui consiste, en général, pour une troupe d'amateurs, à improviser sur un canevas.

Avec Leclercq, Romieu et Sauvage, sous la Restauration, le proverbe commence à s'étoffer, perd son caractère d'énigme, au point de fournir, souvent, le titre ou le sous-titre, ce qui n'était jamais le cas avec Carmontelle : ainsi, un proverbe de Leclercq s'intitule *La Scène double, ou il ne faut pas jouer avec le feu.* Le caractère du proverbe, en outre, devient beaucoup plus littéraire, la donnée souvent moins menue qu'à l'origine ; une satire sociale peut s'y esquisser ; toutefois l'inspiration demeure légère et plaisante.

Or, en 1833, Alfred de Vigny, avec *Quitte pour la peur,* allait un peu plus loin, puisque ce « proverbe » posait avec quelque sérieux le problème de la vie conjugale. Il fut joué, sans grand succès, le 30 mai, à l'Opéra, puis publié le 1er juin dans la *Revue des Deux Mondes*. Musset y fit un double écho. Dans un poème de circonstance, il a évoqué, « le soir, dans la coulisse », un Vigny pâle, errant « sur les débris d'un proverbe tombé » ; dans un croquis de sa main, il l'a représenté sous la forme d'un « vieux cygne constipé sur le point d'accoucher d'un proverbe après de laborieux efforts ». Malgré cette réaction moqueuse, il allait bientôt s'aviser, à son tour, qu'on peut écrire un proverbe sur un thème sérieux, et même, ce que nul n'avait fait avant lui, un proverbe tragique.

Ainsi, Musset, dans *On ne badine pas avec l'amour*, allait-il conduire l'évolution du genre jusqu'à la limite extrême où le genre perd sa raison d'être initiale : sa pièce implique tout un appareil de décors et de mise en scène impossible dans un théâtre de salon ; elle débute en comédie et s'achève en tragédie. Certes, le proverbe évoqué résume admirablement la thèse illustrée ; mais il n'est cité que dans le titre ; l'auteur se garde d'en faire le mot de la fin, ce qui eût été une faute de ton et de goût.

Bref, Musset, dans *On ne badine pas avec l'amour*, prend de telles distances avec ses contemporains et fait éclater son originalité avec tant de vigueur, que l'étiquette de genre perd presque toute sa signification. D'ailleurs, ce n'est pas dans le champ des proverbes, mais dans le domaine plus large des vaudevilles et des comédies de l'époque qu'ont été relevés les rapprochements les plus curieux.

UN VAUDEVILLE DE SCRIBE

Dans un article publié par la *Revue des Sciences humaines* (1), M. André Vial s'est donné le plaisir de résumer une certaine pièce dans des termes qui s'appliqueraient parfaitement à celle de Musset :

---

(1) « A propos d'*On ne badine pas avec l'amour*. Compléments à l'étude d'une genèse littéraire. » *Revue des Sciences humaines*, janvier-mars 1961.

Dans un château de famille, où il revient, après plusieurs années d'absence, paré de sûrs prestiges, un beau cousin retrouve une belle, riche et orgueilleuse cousine. Les parents de l'un sont morts. Mais les morts, comme le père, vivant, de l'autre, avaient formé le projet de les unir. Un chœur de paysans accueille avec enthousiasme et tendresse le revenant, qui se tient pour le tuteur des villageois. On sent, en dépit de la froideur de l'accueil et d'un étrange manège, la jeune fille fort tentée de se soumettre au vœu familial. Aussi bien déclare-t-elle enfin son amour, mais il est trop tard. Une jeune fille modeste, pauvre, la sincérité et la spontanéité mêmes, aime, dans toute la simplicité de son cœur, le jeune homme, qu'elle a connu dès l'enfance et qui s'intéresse vivement à elle.

Or il s'agit, non pas de *On ne badine pas avec l'amour*, mais de *Malvina ou un mariage d'inclination*, comédie-vaudeville de Scribe, créée sur la scène du Gymnase Dramatique le 8 décembre 1828. Le cousin est un jeune officier héroïque, Arved ; il vient d'être nommé par Napoléon général de brigade pendant la bataille de France. La cousine orgueilleuse s'appelle Malvina et la jeune fille modeste Marie, une orpheline recueillie par le châtelain, Dubreuil, père de Malvina. Le « chœur des paysans » salue le retour du glorieux Arved et Arved lui répond :

> Le Chœur
> Enfin il revoit le séjour
> Témoin de sa jeunesse ;
> Enfin il revoit ce séjour,
> Pour nous quel heureux jour !
>
> Arved
> Enfin me voilà de retour
> Aux lieux de ma jeunesse !
> Enfin me voilà de retour !
> Ah ! pour moi quel beau jour !

Puis Arved, comme Perdican, épanche l'émotion qu'il éprouve à retrouver les lieux et les gens :

> Voici donc les lieux que je désespérais de revoir, et auxquels tant de fois j'ai cru dire un éternel adieu... et je reviens, et je suis au milieu de ceux que j'aime... Mon Dieu ! que je suis heureux ! [...]
> Je vous retrouve toujours les mêmes. Nous voilà encore comme nous étions il y a trois ans ; et maintenant il ne me semble pas que je sois parti, car rien n'est changé ...

Arved est impatient de revoir ses deux cousines. C'est la plus simple des deux, Marie, qui lui apparaît la première ; l'autre est en train de se parer : « Comment ! des cérémonies », dit Arved ; « Je te sais gré, Marie, de n'en avoir pas fait pour moi », et elle réplique humblement : « Aussi je suis moins belle ». Un peu plus loin, Arved, s'adressant à une gouvernante, demande des nouvelles d'autres personnes qu'il n'a pas revues encore : « Et Charlot, ton fils et mon frère de lait, et tous mes filleuls... car j'étais, je le crois, le parrain de tout le village » ; Musset préfère imaginer une sœur de lait et c'est à Camille qu'il la donne ; quant à Perdican, il est appelé à devenir « le père » des paysans de son domaine.

Voici enfin la rencontre d'Arved et de Malvina. Dubreuil est présent et cherche à établir, entre les deux cousins, un climat affectueux, mais il est déçu par la réserve de la jeune fille, qui se refuse à l'échange d'un baiser. Le baron est semblablement déconcerté par la froideur de Camille à l'égard de Perdican, lors de leurs retrouvailles (acte I, scène II) ; la situation est exactement la même et le parallèle entre les deux dialogues est tout à fait significatif :

Malvina ou *Un Mariage par inclination*	*On ne badine pas* *avec l'amour*
Dubreuil (*à Malvina, mise élégamment*). — Approche, approche, mon enfant... Voici un beau militaire qui t'attendait avec impatience. Malvina. — Je suis enchantée, monsieur, de votre heureux retour dans notre famille. Arved. — « Monsieur » ... Eh ! mais cousine, j'ai cru que tu allais ... je veux dire que vous alliez, comme ma petite Marie, me traiter sans cérémonie, et en cousin. Dubreuil. — Il a raison ... entre cousins, on s'embrasse, c'est par là qu'on commence. Malvina. — Oui, quand nous étions enfants ; mais maintenant que nous sommes raisonnables... Arved, j'en suis sûre, ne tient pas plus que moi à ces vaines démonstrations.	Le baron. — Bonjour, mes enfants ; bonjour, ma chère Camille, mon cher Perdican ! embrassez-moi, et embrassez-vous. Perdican. — Bonjour, mon père, ma sœur bien-aimée ! Quel bonheur ! comme je suis heureux ! Camille. — Mon père et mon cousin, je vous salue. [.......................................] Le baron. — Allons, Camille, embrasse ton cousin. Camille. — Excusez-moi. Le baron. — Un compliment vaut un baiser ; embrasse-la, Perdican [....................................] Camille. — L'amour ni l'amitié ne peuvent recevoir que ce qu'ils peuvent rendre.

Dubreuil, navré de voir son fils préférer la simple Marie à l'orgueilleuse Malvina, qu'il lui destinait, lui exprime son mécontentement : « Toi, mon fils ! tu me ferais un pareil chagrin ! tu refuserais ma fille, l'amie de ton enfance, celle que son père mourant t'avait destinée ? » Mais Arved ne cède pas et c'est bien à Marie qu'il offre de l'épouser :

> Arved
>
> Marie, ma cousine, toi que j'ai toujours regardée comme la compagne de ma vie ... veux-tu combler mes plus chères espérances ?
>
> Marie
>
> Moi !
>
> Arved
>
> Oui, veux-tu accepter et mon cœur, et ma main ?
>
> Marie (*à part*)
> Ah ! j'en mourrai de joie !
> *Elle accepte.*
>
> Arved
>
> Il serait possible ! Toi, du moins, tu ne m'as donc pas repoussé ! tu veux bien de mon amour ? Ah ! j'emploierai ma vie entière à t'en remercier, à prévenir tous tes vœux, à embellir ces jours que tu veux bien me consacrer.

« Tu veux bien de moi, n'est-ce pas », dit Perdican à Rosette, « tu m'aimeras mieux [...] que ces pâles statues fabriquées par les nonnes [...] lève-toi, tu seras ma femme, et nous prendrons racine ensemble dans la sève du monde tout-puissant » (acte III, scène IV). Ici une différence essentielle, cependant : Perdican, sachant que Camille, cachée, assiste à l'entretien, ne dit de tendres paroles à Rosette que pour piquer sa cousine, alors qu'Arved, à la fin de la pièce, épouse bien réellement Marie, et « par inclination ». La pièce de Scribe s'achève en comédie, celle de Musset en tragédie.

Il serait naturellement facile de montrer, dans le détail, comment, pour traiter des situations analogues, le génie de Musset l'emporte sur la routine de Scribe, constamment banal et plat. M. Vial n'y manque pas. Bornons-nous à un exemple. « Je vous retrouve toujours les mêmes », dit Arved à son retour, « rien ici n'est changé ». « Comme ce lavoir est petit ! Autrefois il me paraissait immense », observe au contraire Perdican : pourtant ce lavoir est le même, mais c'est lui, Perdican qui est changé, il a mûri, et le décor qui était jadis tout son horizon révèle maintenant toute sa modestie. Il faut ajouter enfin que l'imagination de Scribe a disposé certains ressorts étrangers à la pièce de Musset : ainsi, la fière Malvina, quoique éprise de son cousin, a contracté un mariage secret avec le fils d'un pâtissier. Quoi qu'il en soit, les ressemblances entre les deux pièces sont frappantes et la filiation apparaît d'autant plus probable, lorsqu'on se souvient que Musset, dès l'adolescence, était un habitué des théâtres de Paris.

UNE COMÉDIE DE VICTOR DUCANGE

Non moins frappantes, pour le point de départ au moins, les ressemblances entre *On ne badine pas avec l'amour* et une comédie de Victor Ducange, *Agathe ou l'Éducation et le Naturel*, créée le 18 juin 1831 sur la scène des Variétés. Ce nouveau rapprochement est dû à M. Simon Jeune (1).

Un riche propriétaire, Rochanville, veuf, a envoyé sa fille au couvent, à Paris. Après la révolution de Juillet, il la rappelle pour la marier. Au lever du rideau, on attend la prochaine arrivée de la jeune Agathe et on se réjouit d'avance : « Quelle surprise », s'écrie un domestique, « pour une demoiselle qui arrive du couvent ! Débuter tout de suite par un bal, un prétendu et un mariage ». Enfin la voici annoncée et le chœur des amis de Rochanville manifeste sa joie : « Ah ! quel plaisir quand ce beau jour / Rend une fille / A sa famille ». Mais le prétendu est inquiet : « Vous jugez si je l'ai trouvée changée », dit-il : « Elle n'avait que dix ans quand elle nous a quittés ; elle est grandie, embellie des pieds à la tête : c'est à ne pas la reconnaître [...] Maintenant six années de séparation, une éducation de couvent,

_____

(1) « *On ne badine pas avec l'amour* et sa source impure » (*Revue d'Histoire du théâtre*, avril-juin 1966).

d'autres idées peuvent avoir germé dans son cœur ». Son appréhension est fondée. Le chaperon d'Agathe, qui joue un rôle un peu analogue à celui de dame Pluche, pruderie et ridicule en moins, annonce que « son éducation de couvent lui a tourné la tête », que « la retraite et la lecture ont troublé sa jeune cervelle » et qu'elle « ne veut pas entendre parler mariage ». La jeune fille entre « avec le voile et le petit bandeau blanc du pensionnat religieux » et déclare : « Je ne veux pas aller au bal... je ne veux pas faire de toilette ; je ne veux pas me marier ... je ne veux pas qu'un homme me parle ». Et elle demande à retourner au couvent.

Tel est le premier acte. Le second nous éloigne beaucoup de *On ne badine pas avec l'amour*. L'amoureux pénètre au couvent déguisé en religieux, séduit la jeune novice ; le père entre furtivement dans la chambre, accompagné du chœur, et, bien entendu, tout s'arrange. Ce sont là des ressorts comiques très usés.

Il convient de préciser que cette pièce a fait l'objet d'un compte rendu dans *Le Temps* du 20 juin 1831 : Agathe, lisons-nous, a sucé au couvent « le lait de la sainte hypocrisie », mais elle sort enfin de sa prison « et le jour de son émancipation doit être celui de son mariage avec son cousin » ; or voilà qu'elle refuse de danser ! « Le père se fâche ; il a supporté toutes les pruderies, mais celle-ci est trop forte et lui brise le cœur ». On nous raconte ensuite le subterfuge imaginé par le cousin déçu. Ce compte rendu est d'ailleurs désinvolte et sévère : « La pièce a été jouée en silence », y lit-on, « devant un public que la chaleur empêchera sans doute d'y retourner ».

Or nous nous souvenons que Musset, dès 1830, a tenu, dans *Le Temps*, la rubrique des petits théâtres (1) ; selon M. Jeune, il continuait à la tenir en juin 1831, mais pas seul, ce qui pose, pour ces textes anonymes, un problème d'attribution ; il incline à voir dans celui-ci la main de Musset et nous pouvons admettre, sans manquer à la prudence, que la

---

(1) Voir notre ouvrage sur *Les Caprices de Marianne*, p.3.

possibilité n'en est pas exclue. Même sans cela, on ne peut s'empêcher de constater que la pièce de Ducange annonce *On ne badine pas avec l'amour* pour la donnée initiale, comme celle de Scribe pour certains détails de l'action. C'est beaucoup, peut-on penser. Pourtant, quand on lit la pièce de Musset, quand on en admire la verve, la poésie, l'éloquence ou la délicatesse psychologique, on s'aperçoit que ce n'est rien.

SOURCES PERSONNELLES

Les principales sources de *On ne badine pas avec l'amour* sont des sources vécues ; elles se découvrent lorsque l'on confronte l'aventure de Perdican avec l'expérience de son créateur. Il est bien entendu que Musset s'identifie souvent à Perdican, comme à Octave, à Cœlio, à Fantasio ou à Lorenzaccio. Toutefois les rapprochements qu'on a tenté d'établir sont de valeur inégale.

DEUX SOUVENIRS ANCIENS

Selon son frère, Alfred de Musset, tout enfant, aurait conçu un amour fort sérieux pour sa cousine Clélie, qu'il voulait épouser. Nous ne pouvons écarter entièrement l'idée qu'au début de la pièce, quelque écho lointain se manifeste d'un tel sentiment. Mais nous ne savons rien de plus à ce sujet ; et quoi de plus commun que l'attrait exercé par une cousine sur un jeune garçon qui ignore tout des femmes ?

On sait d'autre part que Musset, après le collège, a fréquenté l'École de Droit ; il en a conservé un fort médiocre souvenir. Dans un lettre du 23 septembre 1827, il manifeste beaucoup de mépris pour ceux qui appellent « faire son droit une chose importante ». « J'avais à peine expédié mon examen », écrit-il, « que je pensais aux plaisirs qui m'attendaient. Mon diplôme de bachelier rencontra dans ma poche un billet de diligence, et l'un n'attendait que l'autre. Me voici au Mans : je cours chez mes belles voisines. Tout s'arrange à merveille ; on m'emmène dans un vieux château... » Nous savons que les deux belles voisines ont inspiré les personnages de Ninette et de Ninon, dans *A quoi rêvent les jeunes filles* ; quant au château, il représente un peu pour le jeune Musset, comme le château du baron pour Perdican, la liberté retrouvée et la vie offerte. Encore ne faut-il pas pousser trop loin le rapprochement ; la suite de la lettre dément tout sentiment d'allégresse : « Je m'ennuie [...] Je donnerais ma vie pour deux sous... » Voilà qui nous éloigne de Perdican.

LEÇONS D'UNE AVENTURE

En vérité, c'est un passé beaucoup plus proche que nous devons interroger, pour comprendre dans quel climat fut rédigé *On ne badine pas avec l'amour*. Ecrite quelques semaines à peine après le retour d'Italie, la pièce emprunte maint élément au souvenir de George Sand et aux épisodes successifs des relations de Musset avec elle.

Nous savons qu'avant de devenir des amants Musset et George Sand ont échangé leurs écrits à paraître et se sont donné, à cette occasion, de mutuels encouragements. Musset a même pris appui sur des écrits de George Sand, non seulement pour *Lorenzaccio*, qui a eu comme point de départ une ébauche dramatique intitulée *Une conspiration en 1537*, mais pour *Fantasio*, qui est à rapprocher du *Secrétaire intime*, récit exactement contemporain.

Pour *On ne badine pas avec l'amour* ont été notées de curieuses analogies avec deux autres œuvres de la romancière. Dans *Indiana*, roman qui se rattache aux premiers moments de l'amitié avec George Sand, Noun, sœur de lait et femme de chambre d'Indiana, se donne la mort, désespérée de voir son amant lui préférer Indiana ; sœur de lait de Camille, Rosette, sacrifiée par Perdican à Camille, meurt, elle aussi. D'autre part, Jean Pommier a fait observer qu'un sujet analogue à celui de *On ne badine pas avec l'amour* se trouve traité dans *André*. Sans doute cette œuvre ne parut-elle qu'en avril 1835 ; mais une grande partie en a été rédigée en Italie dès le début de 1834 et, quand Musset a quitté Venise, George Sand lui a confié son manuscrit, pour qu'en rentrant à Paris il le remette à Buloz ; elle lui envoie la fin le 6 mai et le prie, le 12, d'en corriger les épreuves : c'est l'époque où il a commencé à rédiger *On ne badine pas avec l'amour*. *André* est le récit des malheureuses amours d'un jeune noble de province avec une grisette, et il y a certes de grandes différences entre ce roman et la pièce de Musset : si André donne des leçons de botanique à Geneviève, Perdican se garderait d'en user de même avec Rosette ou avec Camille, quoiqu'il ait précisément acquis des titres universitaires dans cette discipline ; il sait bien que telle fleur est un héliotrope, mais il ne se soucie pas d'en détailler les propriétés et préfère se borner à constater qu'elle sent bon. De toute façon, les intrigues diffèrent aussi. Jean Pommier observe pourtant que le nœud en est, ici et là, « la séduction d'une fille de condition inférieure par un jeune seigneur savant, orphelin de mère, qui vit avec un père dans un château de province ».

D'une tout autre nature est un souvenir probable, signalé par Mme Dussane (1). Songeant à la partie de la grande scène de l'acte II où Camille évoque, pour Perdican, la malheureuse aventure de la sœur Louise et les récits qui, en agissant sur son imagination, ont contribué à éveiller sa défiance à l'égard de l'amour, Mme Dussane suppose avec vraisemblance que Musset a dû recueillir les confidences de George Sand, ancienne pensionnaire de l'institution des Dames Augustines Anglaises, rue des Fossés Saint-Victor. George Sand devait rapporter, au tome III de l'*Histoire de ma vie*, ses souvenirs de couvent et raconter l'histoire d'une religieuse nommée sœur Marie-Xavier, « la plus belle personne du couvent », mais « toujours pâle comme sa guimpe ; triste comme un tombeau [...] C'était une âme défaillante, tourmentée, misérable, plus passionnée que tendre [...] Les uns pensaient qu'elle avait pris le voile par désespoir d'a-

---

(1) Voir *Les Héroïnes de Musset*, à la suite de *Le Comédien sans paradoxe*, Plon, éditeur, p.276.

mour et qu'elle aimait encore ; les autres, qu'elle haïssait et
qu'elle vivait de rage et de ressentiment ... » On sait que
Perdican interroge Camille, au sujet de ces religieuses qui,
au fond du couvent, gardent des blessures dans leur cœur :
« Es-tu sûre que si l'homme qui passe était celui qui les a
trompées, celui qu'elles maudissent en priant Dieu, es-tu
sûre qu'en le voyant elles ne briseraient pas leurs chaînes
pour courir à leurs malheurs passés et pour pousser leurs
poitrines sanglantes sur le poignard qui les a meurtries ? »
Or George Sand s'est elle-même interrogée sur le sort de la
religieuse tourmentée que fut la sœur Marie-Xavier : « Quelle a été la fin du douloureux roman de sa vie ? [...] A-t-elle
trouvé libre et repentant l'objet de sa passion ? » Car il est
établi que la sœur Marie-Xavier avait rompu ses vœux et
qu'elle avait quitté le couvent.

De toute façon, l'histoire de la religieuse, quoique essentielle à l'intelligence de l'attitude adoptée par Camille
à l'égard de l'amour, n'est pas au centre de la pièce. Il est
plus important de déterminer d'éventuelles ressemblances
entre les dispositions d'esprit de Musset au printemps de
1834, notamment à travers sa correspondance avec George
Sand, où il livre beaucoup de lui-même, et l'idéologie de
On ne badine pas avec l'amour, afin de justifier et d'illus-
trer l'indication fournie par Paul de Musset : « La pièce
[...] porte en quelques passages les traces de l'état moral
où était l'auteur ».

Dans les lettres conservées, Musset ne commente en
aucun endroit l'œuvre en chantier ; il n'y fait même aucune
allusion et c'est d'ailleurs ce silence qui a rendu possibles
les reconstructions conjecturales sur la genèse de la pièce.
En revanche s'impose une constatation limitée, mais singu-
lièrement précise, à la lecture d'une lettre de George Sand
à Musset, datée du 12 mai, donc reçue vers le 24, en pleine
rédaction de *On ne badine pas avec l'amour*. George Sand
écrit à son ancien amant qui, très librement, a évoqué pour
elle ses nouvelles tentatives amoureuses :

Peut-être ton dernier amour sera-t-il le plus romanesque et le plus jeune. Mais ton cœur, ton bon cœur, ne le tue pas, je t'en prie. Qu'il se mette tout entier ou en partie dans toutes les amours de ta vie, mais qu'il y joue toujours un rôle noble, afin qu'un jour tu puisses regarder en arrière et dire comme moi : *J'ai souffert souvent, je me suis trompé quelquefois, mais j'ai aimé. C'est moi qui ai vécu et non pas un être factice créé par mon orgueil et mon ennui.*

Or les dernières lignes de ce passage sont reproduites textuellement dans *On ne badine pas avec l'amour* (acte II, scène V) et c'est Perdican qui s'adresse à Camille :

On est souvent trompé en amour, souvent blessé et souvent malheureux ; mais on aime, et quand on est sur le bord de la tombe, on se retourne pour regarder en arrière, et on se dit : *J'ai souffert souvent, je me suis trompé quelquefois, mais j'ai aimé. C'est moi qui ai vécu et non pas un être factice créé par mon orgueil et mon ennui.*

L'identité des deux textes a été relevée depuis longtemps ; mais tant qu'on n'a pas connu exactement la genèse de la pièce, on était exposé à en rendre compte de manière erronée. Ainsi Pierre Moreau a-t-il pu supposer (1) que, lorsque George Sand a envoyé sa lettre à Musset, la grande scène entre Perdican et Camille était déjà écrite, que George Sand la connaissait et qu'elle en extrayait implicitement, de mémoire, un passage, pour que son auteur, ayant ainsi l'attention attirée sur des lignes naguère écrites de sa main, trouve dans sa propre œuvre une leçon. La conjecture était, à la rigueur, plausible, quoique bien subtile. Elle est à rejeter sans hésitation, du moment où on a pu établir que Mus-

_____

(1) Voir *L'Information littéraire*, janvier-février 1956 : « Quelques difficultés de la critique génétique. A propos d'*On ne badine pas avec l'amour* ».

set n'a pas entamé la rédaction de *On ne badine pas avec l'amour* avant le retour d'Italie. La vérité est qu'il a trouvé belle une certaine phrase, dans une lettre reçue de George Sand, et qu'il a jugé à propos de l'utiliser dans sa pièce en gestation.

Le contexte, chez George Sand et chez Musset, n'est pas le même. George Sand conjure Musset, une fois de plus, de ne pas tuer son cœur par le libertinage, de l'associer à toutes ses aventures féminines et ainsi de les anoblir. Perdican reproche à Camille de ne pas faire confiance à la vie et de vouloir s'en retirer sans même avoir voulu la connaître. Il y a pourtant dans les deux textes un postulat commun, qui est la foi exaltée dans l'amour. Aussi l'emprunt de Musset à George Sand, quoique limité à trois lignes, est-il loin d'avoir un intérêt purement anecdotique ; il nous aide à prendre conscience du climat sentimental où baigne Musset dans les mois qui ont suivi le séjour en Italie, et, ainsi, de l'inspiration qui était la sienne en écrivant *On ne badine pas avec l'amour.*

Après le retour à Paris, Musset a traversé une période d'abattement, mais il s'est ressaisi. Quand il considère, au bout de quelques semaines, la suite des événements qui se sont déroulés, il incline à en tirer une leçon de confiance et d'espoir. Entre George Sand et lui, il y a eu, semble-t-il, à l'origine, une mésentente sexuelle ; puis un malheureux concours de circonstances a gâché leur séjour en Italie (la maladie de George Sand au cours du voyage, celle de Musset à Venise) ; enfin, une certaine fatalité de caractère, en empêchant Musset de renoncer au plaisir, en le poussant vers des amours de rencontre, a fourni un motif de plainte à sa maîtresse ; George Sand, tentée par Pagello, pouvait se donner l'excuse, en lui cédant, de n'être pas la première à être infidèle. En avril ou mai, les anciens amants prennent conscience qu'ils ont bien fait de se séparer, mais se persuadent qu'entre eux peut subsister une amitié profonde : chacun pense qu'il peut et doit aimer ailleurs ; chacun prend l'autre pour confident de sa nouvelle vie sentimentale. Musset remercie Pagello de rendre son amie heureuse ; lui-même n'a aucune nouvelle liaison à déclarer, mais ne fait pas mystère qu'il en cherche une, rien n'étant décidément plus beau et plus important à ses yeux que l'amour. George Sand, de son côté, défend hautement et depuis plusieurs années, dans sa vie comme dans ses livres, le droit à l'amour ; elle célèbre la grandeur du don réciproque de soi qu'implique une passion partagée et prêche une sorte de religion naturaliste, dont Musset était tout préparé à entendre l'appel. Voilà pourquoi les lettres échangées au printemps de 1834 rendent un accent aussi exalté ; voilà pourquoi la même exaltation éclate dans les propos de Perdican, indigné qu'une jeune fille puisse, sans avoir vécu, refuser l'élan d'un tel enthousiasme. Aussi peut-on relever dans la correspondance de Musset, en avril, mai ou juin 1834, des phrases qui témoignent d'une confiance en l'amour assez étrangère à l'esprit de *André del Sarto*, ou de *Lorenzaccio*, ou même des *Caprices de Marianne*, mais bien présente dans *On ne badine pas avec l'amour*, en dépit même des raisons qui condamnent à un échec meurtrier l'aventure de Camille et de Perdican.

« J'ai entrevu un nouveau monde, et cela suffit. Je lis *Werther* et *La Nouvelle Héloïse*. Je dévore toutes ces folies sublimes dont je me suis tant moqué ». Voilà en quels termes s'exprime Musset, le 10 mai 1834 ; puis, vers le 6 juin : « Comme il s'ouvre, amie bien-aimée, ce cœur qui s'était desséché : » ; et aussi : « Doubler ses facultés, avoir deux ailes pour monter au ciel, presser un cœur et une intelligence sur son intelligence et sur son cœur, c'est le bonheur suprême » ; et encore : « Deux êtres qui s'aiment bien sur terre font *un* ange dans le ciel : voilà ce que j'ai trouvé l'autre jour dans un ouvrage nouveau. Connais-tu une parole plus sublime que celle-là ? » Voilà un langage de mysticisme amoureux qui trouve quelque écho à la fin de la grande scène de l'acte II où Perdican, ayant accordé à Camille que les hommes, comme les femmes, ont, si on les considère séparément, tous les défauts possibles, ajoute qu'« il y a au monde une chose sainte et sublime, c'est l'union de deux de ces êtres si imparfaits et si affreux ». Voilà qui justifie

Musset de poursuivre obstinément sa quête amoureuse avec toute la ferveur de sa jeunesse, comme il le déclarait d'ailleurs en toute franchise à George Sand dans une lettre du 30 avril : « J'aurai d'autres maîtresses ; maintenant les arbres se couvrent de verdure et l'odeur des lilas entre ici par bouffées : tout renaît et le cœur me bondit malgré moi ».

Naturellement, cette renaissance, qu'il tâche d'éprouver en lui, ne le rend pas oublieux des souffrances, des tourments qui ont marqué la fin du séjour à Venise. De ces souffrances, les lettres à George Sand encore contiennent l'écho, comme *On ne badine pas avec l'amour*. Musset incline à s'en déclarer responsable : « J'ai senti que j'avais mérité de te perdre », écrivait-il avant de quitter Venise ; puis, de Genève, pendant le voyage de retour : « Je t'ai laissée bien lasse, bien épuisée de ces deux mois de chagrin » ; ou encore : « Je t'ai rendue si malheureuse !... j'ai été presque un bourreau pour toi » ; et le 10 mai : « Qu'ai-je fait de ma jeunesse ? Qu'ai-je fait même de notre amour ? » Dans la pièce, Perdican est prêt, lui aussi, à se reconnaître une responsabilité, mais il suggère que Camille, de son côté, pourrait en avoir une : « Insensés que nous sommes ! nous nous aimons. Quel songe avons-nous fait, Camille ? Quelles vaines paroles, quelles misérables folies ont passé comme un vent funeste entre nous deux ? lequel de nous deux a voulu tromper l'autre ? ». A juste titre, le commentateur de l'édition de la Pléiade écrit : « C'est Perdican qui parle à Camille ; c'est aussi Alfred de Musset qui médite sur le drame de ses amours avec George Sand. »

MUSSET ET LES JEUNES FILLES

Gardons-nous pourtant d'aller trop loin dans le parallèle. George Sand est une femme qui a vécu ; Camille est une jeune fille et ne lui ressemble guère. Dans la vie et dans la pièce, les raisons du malentendu ne sont nullement les mêmes. Les réactions de Camille s'expliquent par sa virginité et par les leçons qu'elle a reçues au couvent ; son orgueil, son inquiétude, son intransigeance sont d'une jeune fille de dix-huit ans. Et c'est, dans une large mesure, le problème de la jeune fille que Musset pose à son sujet, ou plutôt celui du jeune homme qu'il est devant la jeune fille, énigme qui, tout à la fois, l'attire, le déconcerte et l'effraie.

La correspondance du printemps de 1834 nous livre, à ce propos, quelques indications. Musset écrit à George Sand le 30 avril : « Je suis encore jeune, la première femme que j'aurai sera jeune aussi, je ne pourrais avoir aucune confiance dans une femme *faite*. De ce que je t'ai trouvée, c'est une raison pour ne plus vouloir chercher ». Musset a conscience qu'il ne saurait remplacer une maîtresse comme George Sand, qu'il ne retrouvera jamais réunis au même degré en une même personne la beauté, la flamme, la générosité, l'humanité, le génie ; il se souvient aussi qu'il a vingt-trois ans et George Sand près de trente ; elle a été pour lui une grande sœur, presque une mère, et elle l'a traité en enfant ; il rêve désormais d'autre chose et se sent attiré vers les jeunes filles. Mais il se révèle fort exigeant. « Où trouver une *demoiselle* », demande-t-il le 10 mai, « qui ne soit ni dépravée, ni bégueule, ni impudente, ni niaise et qui n'ait pas pour unique mobile de ses paroles, de ses bras et de ses jambes le mariage, un et indivisible ».

Cette phrase donne à entendre qu'Alfred de Musset a rencontré des jeunes filles dépravées ou impudentes, d'autres bégueules ou niaises ; elle laisse à deviner, en outre, que certaines ont voulu lui faire préciser ses intentions, comme à son partenaire l'héroïne de *Il faut qu'une porte soit ouverte ou fermée*. Volontiers, elles auraient songé au mariage, mais elles repoussaient l'idée d'une liaison, surtout avec un libertin notoire. Car Musset a une telle réputation de libertinage que les femmes se méfient beaucoup de lui ; George Sand elle-même a refusé, au début, de croire à son amour et ne lui supposait qu'un caprice. Cette réputation va le poursuivre et souvent il devra protester, sans convaincre, de la pureté de ses intentions, en jurant, peut-être avec sincérité sur le moment, mais contre toute vraisemblance, que le libertin était mort en lui. Ainsi avec Aimée d'Alton, en 1837 : « Voulez-vous me dire, mon beau moinillon, ce que ce peut-être que d'être libertin quand on est amoureux ? Il me semble que c'est à peu près la même chose que d'être hypocrite en même temps que dévot ... dès que l'un existe, l'autre perd son nom ». Aimée d'Alton était trop éprise de lui pour ne pas finir par lui céder, mais on devine qu'elle s'était inquiétée, après bien d'autres, de la cour qu'il lui faisait, parce que son passé et son caractère donnaient lieu à tous les soupçons.

Musset n'a pas tenu le compte des réactions qu'il a suscitées, des échecs qu'il a subis. Mais on les devine : sa phrase à George Sand sur l'exigence du mariage un et indivisible en laisse long à penser. Lorsque Camille demande à Perdican : « Avez-vous eu des maîtresses ?... Les avez-vous aimées ?... Où sont-elles maintenant ? », son inquiétude est peut-être l'écho de celle que lui ont manifestée des jeunes filles courtisées par lui. S'il leur a répondu, comme Perdican : « Que voulez-vous que je vous dise ? Je ne suis ni leur mari, ni leur frère ; elles sont allées où bon leur a semblé », on doit convenir que la réponse n'était pas faite pour les rassurer. Perdican est sincère à la façon de Musset, lorsqu'il exalte l'amour comme un élan de toute l'âme et comme un hommage à la vie ; mais pas plus que Musset, il n'est homme à jurer de bon cœur une fidélité éternelle ; peut-être aurait-il convaincu Camille, s'il avait pu lui tenir un autre langage. Ainsi Musset fut-il victime de ce personnage de libertin qu'il tenait avec éclat certes, sans pourtant qu'il s'y reconnaisse entièrement, en tout cas sans qu'il s'en satisfasse.

Telle est, semble-t-il, l'expérience personnelle qui a été transposée dans *On ne badine pas avec l'amour*. L'aventure avec George Sand, au moins dans son épisode vénitien (car il y en aura d'autres plus cruels encore, mais postérieurs à notre pièce), l'a agité sans l'abattre et, en un sens, a fortifié sa foi romantique en une religion de l'amour : d'où les propos exaltés de Perdican, plus toniques et plus entraînants que ceux d'Octave, trop consciemment corrompu pour se croire capable d'aimer. Musset, cependant, a trop souffert pour oublier que la quête amoureuse est pleine de dangers, suscités non seulement par les préjugés d'une société hostile, mais aussi et surtout par les fatalités multiples que chacun porte en soi comme des germes de malheur. « On ne badine pas avec l'amour » : entendons qu'on ne devrait pas badiner ; mais le « badinage » a des formes si multiples et si traîtresses qu'il est malaisé d'y échapper. Musset ne serait pas éloigné de dire, comme un poète d'aujourd'hui, qu'« il n'y a pas d'amour heureux ». Pourtant, son attitude n'est pas totalement désespérée, comme elle pouvait le paraître à travers *Les Caprices de Marianne*, car il pense et proclame qu'il faut jouer le jeu de la vie, obéir à chaque nouvel élan, sans redouter d'avance la nouvelle catastrophe que la froide réflexion verrait sans doute à son terme, — comme si le miracle du bonheur devait se produire cette fois. *On ne badine pas avec l'amour*, pièce à la fois douloureuse et enthousiaste, exprime les idées et les sentiments d'un jeune homme déjà meurtri profondément, mais plein de sève. Ces idées et ces sentiments s'exprimeront encore, deux ans plus tard, dans les vers célèbres de *La Nuit d'Août :*

> Après avoir souffert, il faut souffrir encore ;
> Il faut aimer sans cesse, après avoir aimé.

NOTE SUR LE TEXTE

Du vivant d'Alfred de Musset ont été publiés trois états du texte de On ne badine pas avec l'amour *: l'état préoriginal, fourni le 1er juillet 1834 par la* Revue des Deux Mondes *et reproduit le mois suivant au tome II de la seconde livraison (Oeuvres en prose) de* Un Spectacle dans un fauteuil *; l'état fourni dans l'édition originale en un volume des* Comédies et Proverbes *publiée chez Charpentier en 1840 et plusieurs fois réimprimée avec des altérations négligeables ; l'état fourni au tome I de la nouvelle édition des* Comédies et Proverbes *publiée en deux volumes chez Charpentier en 1853 et réimprimée en 1856.*

Dans Alfred de Musset. Textes dramatiques inédits *(Nizet, 1953), Jean Richer a révélé six feuillets du manuscrit qui a servi à l'impression de la pièce dans la* Revue des Deux Mondes *; ils donnent une partie des scènes IV et V du deuxième acte. Ces feuillets appartiennent à M. Linand. On y note l'absence de quelques mots rajoutés par la suite ; on y relève quelques ratures ou substitutions de termes. Dans l'ensemble, la portée de ces variantes est insignifiante. Minimes aussi sont les différences entre les textes imprimés en 1834, en 1840 et en 1853.*

Il en va tout autrement pour le texte établi en vue de la représentation et publié chez Charpentier en 1861. La version scénique de On ne badine pas avec l'amour, *comme celle des* Caprices de Marianne, *diffère profondément de la version originale. Mais le texte des* Caprices de Marianne *avait été revu pour le théâtre par Alfred de Musset lui-même, dès 1850-1851 : aussi avions-nous jugé nécessaire de*

*noter systématiquement dans un appareil critique les diffé-
rences présentées par la version scénique. Celui de* On ne
badine pas avec l'amour *a été remanié après la mort d'Alfred de Musset, sous la seule responsabilité de son frère
Paul : il n'y avait pas lieu d'en relever les particularités,
puisqu'elles ne sont pas le fait de l'écrivain ; elles demeurent étrangères à l'étude de son œuvre. Toutefois, on trouvera quelques remarques sur les caractères de cette adaptation dans le chapitre consacré à la fortune de la pièce,
p.139 et suivantes.*

*Le texte reproduit est celui de la dernière édition pa-
rue du vivant d'Alfred de Musset, en 1853. Les variantes
des états antérieurs, ainsi que celles de la version scénique,
sont signalées dans l'édition de la Pléiade.*

« ON NE BADINE PAS
AVEC L'AMOUR »

ON NE BADINE PAS AVEC L'AMOUR

PERSONNAGES

LE BARON.
PERDICAN, son fils.
MAITRE BLAZIUS, gouverneur de Perdican.
MAITRE BRIDAINE, curé.
CAMILLE, nièce du baron.
DAME PLUCHE, sa gouvernante.
ROSETTE, sœur de lait de Camille.
PAYSANS, VALETS, etc.

ACTE PREMIER

SCENE I

Une place devant le château.

MAITRE BLAZIUS, DAME PLUCHE, LE CHOEUR

LE CHOEUR.– Doucement bercé sur sa mule fringante, messer Blazius s'avance dans les bluets fleuris, vêtu de neuf, l'écritoire au côté. Comme un poupon sur l'oreiller, il se ballotte sur son ventre rebondi, et les yeux à demi fermés, il marmotte un *Pater noster* dans son triple menton. Salut, maître Blazius ; vous arrivez au temps de la vendange, pareil à une amphore antique.

MAITRE BLAZIUS.– Que ceux qui veulent apprendre une nouvelle d'importance m'apportent ici premièrement un verre de vin frais.

LE CHOEUR.– Voilà notre plus grande écuelle; buvez, maître Blazius ; le vin est bon ; vous parlerez après.

MAITRE BLAZIUS.– Vous saurez, mes enfants, que le jeune Perdican, fils de notre seigneur, vient d'atteindre à sa majorité, et qu'il est reçu docteur à Paris. Il revient aujourd'hui même au château, la bouche toute pleine de façons de parler si belles et si fleuries, qu'on ne sait que lui répondre les trois quarts du temps. Toute sa gracieuse personne est un livre d'or ; il ne voit pas un brin d'herbe à terre, qu'il ne vous dise comment cela s'appelle en latin ;

et quand il fait du vent ou qu'il pleut, il vous dit
tout clairement pourquoi. Vous ouvririez des yeux
grands comme la porte que voilà, de le voir dérouler un des parchemins qu'il a coloriés d'encres de
toutes couleurs, de ses propres mains et sans en
rien dire à personne. Enfin c'est un diamant fin des
pieds à la tête, et voilà ce que je viens annoncer à
M. le baron. Vous sentez que cela me fait quelque
honneur, à moi, qui suis son gouverneur depuis
l'âge de quatre ans ; ainsi donc, mes bons amis, apportez une chaise que je descende un peu de cette
mule-ci sans me casser le cou ; la bête est tant soit
peu rétive, et je ne serais pas fâché de boire encore
une gorgée avant d'entrer.

LE CHOEUR.— Buvez, maître Blazius, et repre-
nez vos esprits. Nous avons vu naître le petit Perdican, et il n'était pas besoin, du moment qu'il arrive,
de nous en dire si long. Puissions-nous retrouver
l'enfant dans le cœur de l'homme !

MAITRE BLAZIUS.— Ma foi, l'écuelle est vide ;
je ne croyais pas avoir tout bu. Adieu ; j'ai préparé,
en trottant sur la route, deux ou trois phrases sans
prétention qui plairont à monseigneur ; je vais tirer
la cloche.

Il sort.

LE CHOEUR.— Durement cahotée sur son âne
essoufflé, dame Pluche gravit la colline ; son écuyer
transi gourdine à tour de bras le pauvre animal, qui
hoche la tête, un chardon entre les dents. Ses lon-
gues jambes maigres trépignent de colère, tandis
que, de ses mains osseuses, elle égratigne son chape-
let. Bonjour donc, dame Pluche, vous arrivez comme la fièvre, avec le vent qui fait jaunir les bois.

DAME PLUCHE.— Un verre d'eau, canaille que
vous êtes ! un verre d'eau et un peu de vinaigre !

46

LE CHOEUR.– D'où venez-vous, Pluche, ma mie ? vos faux cheveux sont couverts de poussière ; voilà un toupet de gâté, et votre chaste robe est retroussée jusqu'à vos vénérables jarretières.

DAME PLUCHE.– Sachez, manants, que la belle Camille, la nièce de votre maître, arrive aujourd'hui au château. Elle a quitté le couvent sur l'ordre exprès de monseigneur, pour venir en son temps et lieu recueillir, comme faire se doit, le bon bien qu'elle a de sa mère. Son éducation, Dieu merci, est terminée ; et ceux qui la verront auront la joie de respirer une glorieuse fleur de sagesse et de dévotion. Jamais il n'y a rien eu de si pur, de si ange, de si agneau et de si colombe que cette chère nonnain; que le Seigneur Dieu du ciel la conduise ! Ainsi soit-il. Rangez-vous, canaille ; il me semble que j'ai les jambes enflées.

LE CHOEUR.– Défripez-vous, honnête Pluche, et quand vous prierez Dieu, demandez de la pluie ; nos blés sont secs comme vos tibias.

DAME PLUCHE.– Vous m'avez apporté de l'eau dans une écuelle qui sent la cuisine ; donnez-moi la main pour descendre ; vous êtes des butors et des malappris.

Elle sort.

LE CHOEUR.– Mettons nos habits du dimanche, et attendons que le baron nous fasse appeler. Ou je me trompe fort, ou quelque joyeuse bombance est dans l'air d'aujourd'hui.

Ils sortent.

SCENE II

Le salon du baron.

Entrent   LE BARON, MAITRE BRIDAINE
et   MAITRE BLAZIUS.

LE   BARON.– Maître Bridaine, vous êtes mon ami ; je vous présente maître Blazius, gouverneur de mon fils. Mon fils a eu hier matin, à midi huit minutes, vingt et un ans comptés ; il est docteur à quatre boules blanches. Maître Blazius, je vous présente maître Bridaine, curé de la paroisse ; c'est mon ami.

MAITRE   BLAZIUS, *saluant.*– A quatre boules blanches, seigneur ! littérature, botanique, droit romain, droit canon.

LE   BARON.– Allez à votre chambre, cher Blazius, mon fils ne va pas tarder à paraître ; faites un peu de toilette, et revenez au coup de la cloche.

Maître Blazius sort.

MAITRE   BRIDAINE.– Vous dirai-je ma pensée, monseigneur ? le gouverneur de votre fils sent le vin à pleine bouche.

LE BARON.–   Cela est impossible.

MAITRE   BRIDAINE.– J'en suis sûr comme de ma vie ; il m'a parlé de fort près tout à l'heure ; il sentait le vin à faire peur.

LE   BARON.– Brisons là, je vous répète que cela est impossible.

Entre dame Pluche.

Vous voilà, bonne dame Pluche ? Ma nièce est sans doute avec vous ?

DAME   PLUCHE.– Elle me suit, monseigneur, je l'ai devancée de quelques pas.

LE BARON.– Maître Bridaine, vous êtes mon ami. Je vous présente la dame Pluche, gouvernante de ma nièce. Ma nièce est depuis hier, à sept heures de nuit, parvenue à l'âge de dix-huit ans ; elle sort du meilleur couvent de France. Dame Pluche, je vous présente maître Bridaine, curé de la paroisse ; c'est mon ami.

DAME PLUCHE, *saluant.*– Du meilleur couvent de France, seigneur, et je puis ajouter : la meilleure chrétienne du couvent.

LE BARON.– Allez, dame Pluche, réparer le désordre où vous voilà ; ma nièce va bientôt venir, j'espère ; soyez prête à l'heure du dîner.

Dame Pluche sort.

MAITRE BRIDAINE.– Cette vieille demoiselle paraît tout à fait pleine d'onction.

LE BARON.–Pleine d'onction et de componction, maître Bridaine ; sa vertu est inattaquable.

MAITRE BRIDAINE.– Mais le gouverneur sent le vin ; j'en ai la certitude.

LE BARON.– Maître Bridaine ! il y a des moments où je doute de votre amitié. Prenez-vous à tâche de me contredire ? Pas un mot de plus là-dessus. J'ai formé le dessein de marier mon fils avec ma nièce ; c'est un couple assorti : leur éducation me coûte six mille écus.

MAITRE BRIDAINE.– Il sera nécessaire d'obtenir des dispenses.

LE BARON.– Je les ai, Bridaine ; elles sont sur ma table, dans mon cabinet. O mon ami, apprenez maintenant que je suis plein de joie. Vous savez que j'ai eu de tout temps la plus profonde horreur pour la solitude. Cependant la place que j'occupe et la gravité de mon habit me forcent à rester dans ce château pendant trois mois d'hiver et trois mois d'été. Il est impossible de faire le bonheur des hommes en général, et de ses vassaux en particulier, sans donner parfois à son valet de chambre l'ordre rigoureux de ne laisser entrer personne. Qu'il est austère et difficile le recueillement de l'homme d'État ! et quel plaisir ne trouverai-je pas à tempérer, par la présence de mes deux enfants réunis, la sombre tristesse à laquelle je dois nécessairement être en proie depuis que le roi m'a nommé receveur !

MAITRE BRIDAINE.– Ce mariage se fera-t-il ici ou à Paris ?

LE BARON.– Voilà où je vous attendais, Bridaine ; j'étais sûr de cette question. Eh bien ! mon ami, que diriez-vous si ces mains que voilà, oui, Bridaine, vos propres mains, ne les regardez pas d'une manière aussi piteuse, étaient destinées à bénir solennellement l'heureuse confirmation de mes rêves les plus chers ? Hé ?

MAITRE BRIDAINE.– Je me tais ; la reconnaissance me ferme la bouche.

LE BARON.– Regardez par cette fenêtre ; ne voyez-vous pas que mes gens se portent en foule à la grille ? Mes deux enfants arrivent en même temps ; voilà la combinaison la plus heureuse. J'ai disposé les choses de manière à tout prévoir. Ma nièce sera introduite par cette porte à gauche, et mon fils par cette porte à droite. Qu'en dites-vous ? Je me fais une fête de voir comment ils s'aborderont, ce qu'ils se diront ; six mille écus ne sont pas une bagatelle, il ne faut pas s'y tromper. Ces enfants s'aimaient d'ailleurs fort tendrement dès le berceau. — Bridaine, il me vient une idée.

MAITRE BRIDAINE.– Laquelle ?

LE BARON.– Pendant le dîner, sans avoir l'air d'y toucher, – vous comprenez, mon ami, – tout en vidant quelques coupes joyeuses: – vous savez le latin, Bridaine.

MAITRE BRIDAINE.– *Ità edepol,* pardieu, si je le sais !

LE BARON.– Je serais bien aise de vous voir entreprendre ce garçon, – discrètement s'entend, – devant sa cousine ; cela ne peut produire qu'un bon effet ; – faites-le parler un peu latin, – non pas précisément pendant le dîner, cela deviendrait fastidieux, et quant à moi, je n'y comprends rien ; – mais au dessert, – entendez-vous ?

MAITRE BRIDAINE.– Si vous n'y comprenez rien, monseigneur, il est probable que votre nièce est dans le même cas.

LE BARON.– Raison de plus ; ne voulez-vous pas qu'une femme admire ce qu'elle comprend ? D'où sortez-vous, Bridaine ? Voilà un raisonnement qui fait pitié.

MAITRE BRIDAINE.– Je connais peu les femmes ; mais il me semble qu'il est difficile qu'on admire ce qu'on ne comprend pas.

LE BARON.– Je les connais, Bridaine ; je connais ces êtres charmants et indéfinissables. Soyez persuadé qu'elles aiment à avoir de la poudre dans les yeux, et que plus on leur en jette, plus elle les écarquillent, afin d'en gober davantage.

Perdican entre d'un côté, Camille de l'autre.

Bonjour, mes enfants ; bonjour, ma chère Camille, mon cher Perdican ! embrassez-moi, et embrassez-vous.

PERDICAN.– Bonjour, mon père, ma sœur bien-aimée ! Quel bonheur ! que je suis heureux !

CAMILLE.– Mon père et mon cousin, je vous salue.

PERDICAN.– Comme te voilà grande, Camille ! et belle comme le jour.

LE BARON.– Quand as-tu quitté Paris, Perdican ?

PERDICAN.– Mercredi, je crois, ou mardi. Comme te voilà métamorphosée en femme ! Je suis donc un homme, moi ! Il me semble que c'est hier que je t'ai vue pas plus haute que cela.

LE BARON.– Vous devez être fatigués ; la route est longue, et il fait chaud.

PERDICAN.– Oh ! mon Dieu, non. Regardez donc, mon père, comme Camille est jolie !

LE BARON.– Allons, Camille, embrasse ton cousin.

CAMILLE.– Excusez-moi.

LE BARON.– Un compliment vaut un baiser ; embrasse-la, Perdican.

PERDICAN.– Si ma cousine recule quand je lui tends la main, je vous dirai à mon tour : Excusez-moi ; l'amour peut voler un baiser, mais non pas l'amitié.

CAMILLE.– L'amitié ni l'amour ne doivent recevoir que ce qu'ils peuvent rendre.

LE BARON, *à maître Bridaine.*– Voilà un commencement de mauvais augure, hé ?

MAITRE BRIDAINE, *au baron.*– Trop de pudeur est sans doute un défaut ; mais le mariage lève bien des scrupules.

LE BARON, *à maître Bridaine.*– Je suis choqué, – blessé. – Cette réponse m'a déplu. – *Excusez-moi !* Avez-vous vu qu'elle a fait mine de se signer ? – Venez ici, que je vous parle. – Cela m'est pénible au dernier point. Ce moment, qui devait m'être si doux, est complètement gâté. — Je suis vexé, piqué. — Diable ! voilà qui est fort mauvais.

MAITRE BRIDAINE.— Dites-leur quelques mots; les voilà qui se tournent le dos.

LE BARON.— Eh bien ! mes enfants, à quoi pensez-vous donc ? Que fais-tu là, Camille, devant cette tapisserie ?

CAMILLE, *regardant un tableau.*— Voilà un beau portrait, mon oncle ! N'est-ce pas une grand-tante à nous ?

LE BARON.— Oui, mon enfant, c'est ta bisaïeule, — ou du moins — la sœur de ton bisaïeul, — car la chère dame n'a jamais concouru, — pour sa part, je crois, autrement qu'en prières, — à l'accroissement de la famille. — C'était, ma foi, une sainte femme.

CAMILLE.— Oh ! oui, une sainte ! c'est ma grand-tante Isabelle. Comme ce costume religieux lui va bien !

LE BARON.— Et toi, Perdican, que fais-tu là devant ce pot de fleurs ?

PERDICAN.— Voilà une fleur charmante, mon père. C'est un héliotrope.

LE BARON.— Te moques-tu ? elle est grosse comme une mouche.

PERDICAN.— Cette petite fleur grosse comme une mouche a bien son prix.

MAITRE BRIDAINE.— Sans doute ! le docteur a raison ; demandez-lui à quel sexe, à quelle classe elle appartient ; de quels éléments elle se forme, d'où lui viennent sa sève et sa couleur ; il vous ravira en extase en vous détaillant les phénomènes de ce brin d'herbe, depuis la racine jusqu'à la fleur.

PERDICAN.— Je n'en sais pas si long, mon révérend. Je trouve qu'elle sent bon, voilà tout.

SCENE III

Devant le château.

Entre LE CHOEUR.

Plusieurs choses me divertissent et excitent ma curiosité. Venez, mes amis, et asseyons-nous sous ce noyer. Deux formidables dîneurs sont en ce moment en présence au château, maître Bridaine et maître Blazius. N'avez-vous pas fait une remarque ? c'est que lorsque deux hommes à peu près pareils, également gros, également sots, ayant les mêmes vices et les mêmes passions, viennent par hasard à se rencontrer, il faut nécessairement qu'ils s'adorent ou qu'ils s'exècrent. Par la raison que les contraires s'attirent, qu'un homme grand et desséché aimera un homme petit et rond, que les blonds recherchent les bruns, et réciproquement, je prévois une lutte secrète entre le gouverneur et le curé. Tous deux sont armés d'une égale impudence ; tous deux ont pour ventre un tonneau ; non seulement ils sont gloutons, mais ils sont gourmets ; tous deux se disputeront à dîner, non seulement la quantité, mais la qualité. Si le poisson est petit, comment faire ? et dans tous les cas une langue de carpe ne peut se partager, et une carpe ne peut avoir deux langues. *Item*, tous deux sont bavards ; mais à la rigueur ils peuvent parler ensemble sans s'écouter ni l'un ni l'autre. Déjà maître Bridaine a voulu adresser au jeune Perdican plusieurs questions pédantes, et le gouverneur a froncé le sourcil. Il lui est désagréable qu'un autre que lui semble mettre son élève à l'épreuve. *Item*, ils sont aussi ignorants l'un que l'autre. *Item*, ils sont prêtres tous deux ;

l'un se targuera de sa cure, l'autre se rengorgera dans sa charge de gouverneur. Maître Blazius confesse le fils, et maître Bridaine le père. Déjà, je les vois accoudés sur la table, les joues enflammées, les yeux à fleur de tête, secouer pleins de haine leurs triples mentons. Ils se regardent de la tête aux pieds, ils préludent par de légères escarmouches ; bientôt la guerre se déclare ; les cuistreries de toute espèce se croisent et s'échangent, et, pour comble de malheur, entre les deux ivrognes s'agite dame Pluche, qui les repousse l'un et l'autre de ses coudes affilés.

Maintenant que voilà le dîner fini, on ouvre la grille du château. C'est la compagnie qui sort ; retirons-nous à l'écart.

Ils sortent.
Entrent le baron et dame Pluche.

LE BARON.– Vénérable Pluche, je suis peiné.

DAME PLUCHE.– Est-il possible, monseigneur ?

LE BARON.– Oui, Pluche, cela est possible. J'avais compté depuis longtemps, — j'avais même écrit, noté, — sur mes tablettes de poche, — que ce jour devait être le plus agréable de mes jours, — oui, bonne dame, le plus agréable. — Vous n'ignorez pas que mon dessein était de marier mon fils avec ma nièce ; — cela était résolu, — convenu, — j'en avais parlé à Bridaine, — et je vois, je crois voir, que ces enfants se parlent froidement ; ils ne se sont pas dit un mot.

DAME PLUCHE.– Les voilà qui viennent, monseigneur. Sont-ils prévenus de vos projets ?

LE BARON.– Je leur en ai touché quelques mots en particulier. Je crois qu'il serait bon, puisque les voilà réunis, de nous asseoir sous cet ombrage propice, et de les laisser ensemble un instant.

Il se retire avec dame Pluche.
Entrent Camille et Perdican.

PERDICAN.– Sais-tu que cela n'a rien de beau, Camille, de m'avoir refusé un baiser ?

CAMILLE.– Je suis comme cela ; c'est ma manière.

PERDICAN.– Veux-tu mon bras, pour faire un tour dans le village ?

CAMILLE.– Non, je suis lasse.

PERDICAN.– Cela ne te ferait pas plaisir de revoir la prairie ? Te souviens-tu de nos parties sur le bateau ? Viens, nous descendrons jusqu'aux moulins ; je tiendrai les rames, et toi le gouvernail.

CAMILLE.– Je n'en ai nulle envie.

PERDICAN.– Tu me fends l'âme. Quoi ! pas un souvenir, Camille ? pas un battement de cœur pour notre enfance, pour tout ce pauvre temps passé, si bon, si doux, si plein de niaiseries délicieuses ? Tu ne veux pas venir voir le sentier par où nous allions à la ferme ?

CAMILLE.– Non, pas ce soir.

PERDICAN.– Pas ce soir ! et quand donc ? Toute notre vie est là.

CAMILLE.– Je ne suis pas assez jeune pour m'amuser de mes poupées, ni assez vieille pour aimer le passé.

PERDICAN.– Comment dis-tu cela ?

CAMILLE.– Je dis que les souvenirs d'enfance ne sont pas de mon goût.

PERDICAN.– Cela t'ennuie ?

CAMILLE.– Oui, cela m'ennuie.

PERDICAN.– Pauvre enfant, je te plains sincèrement.

Ils sortent chacun de leur côté.

LE BARON, *rentrant avec dame Pluche.* – Vous le voyez, et vous l'entendez, excellente Pluche ; je m'attendais à la plus suave harmonie, et il me semble assister à un concert où le violon joue *Mon cœur soupire*, pendant que la flûte joue *Vive Henri IV*. Songez à la discordance affreuse qu'une pareille combinaison produirait. Voilà pourtant ce qui se passe dans mon cœur.

DAME PLUCHE. – Je l'avoue; il m'est impossible de blâmer Camille, et rien n'est de plus mauvais ton, à mon sens, que les parties de bateau.

LE BARON. – Parlez-vous sérieusement ?

DAME PLUCHE. – Seigneur, une jeune fille qui se respecte ne se hasarde pas sur les pièces d'eau.

LE BARON. – Mais observez donc, dame Pluche, que son cousin doit l'épouser, et que dès lors...

DAME PLUCHE. – Les convenances défendent de tenir un gouvernail, et il est malséant de quitter la terre ferme seule avec un jeune homme.

LE BARON. – Mais je répète... je vous dis...

DAME PLUCHE. – C'est là mon opinion.

LE BARON. – Etes-vous folle ? En vérité, vous me feriez dire... Il y a certaines expressions que je ne veux pas,... qui me répugnent... Vous me donnez envie... En vérité, si je ne me retenais... Vous êtes une pécore, Pluche ! Je ne sais que penser de vous.

Il sort.

SCENE IV

Une place.

LE CHOEUR, PERDICAN.

PERDICAN.– Bonjour, amis. Me reconnaissez-vous ?

LE CHOEUR.– Seigneur, vous ressemblez à un enfant que nous avons beaucoup aimé.

PERDICAN.– N'est-ce pas vous qui m'avez porté sur votre dos pour passer les ruisseaux de vos prairies, vous qui m'avez fait danser sur vos genoux, qui m'avez pris en croupe sur vos chevaux robustes, qui vous êtes serrés quelquefois autour de vos tables pour me faire une place au souper de la ferme ?

LE CHOEUR.– Nous nous en souvenons, seigneur. Vous étiez bien le plus mauvais garnement et le meilleur garçon de la terre.

PERDICAN.– Et pourquoi donc alors ne m'embrassez-vous pas, au lieu de me saluer comme un étranger ?

LE CHOEUR.– Que Dieu te bénisse, enfant de nos entrailles ! chacun de nous voudrait te prendre dans ses bras ; mais nous sommes vieux, monseigneur, et vous êtes un homme.

PERDICAN.– Oui, il y a dix ans que je ne vous ai vus, et en un jour tout change sous le soleil. Je me suis élevé de quelques pieds vers le ciel, et vous vous êtes courbés de quelques pouces vers le tombeau. Vos têtes ont blanchi, vos pas sont devenus plus lents ; vous ne pouvez plus soulever de terre votre enfant d'autrefois. C'est donc à moi d'être votre père, à vous qui avez été les miens.

LE CHOEUR.– Votre retour est un jour plus heureux que votre naissance. Il est plus doux de retrouver ce qu'on aime, que d'embrasser un nouveau-né.

PERDICAN.– Voilà donc ma chère vallée ! mes noyers, mes sentiers verts, ma petite fontaine ! voilà mes jours passés encore tout pleins de vie, voilà le monde mystérieux des rêves de mon enfance ! O patrie ! patrie ! mot incompréhensible ! l'homme n'est-il donc né que pour un coin de terre, pour y bâtir son nid et pour y vivre un jour ?

LE CHOEUR.– On nous a dit que vous êtes un savant, monseigneur.

PERDICAN.– Oui, on me l'a dit aussi. Les sciences sont une belle chose, mes enfants ; ces arbres et ces prairies enseignent à haute voix la plus belle de toutes, l'oubli de ce qu'on sait.

LE CHOEUR.– Il s'est fait plus d'un changement pendant votre absence. Il y a des filles mariées et des garçons partis pour l'armée.

PERDICAN.– Vous me conterez tout cela. Je m'attends bien à du nouveau ; mais en vérité je n'en veux pas encore. Comme ce lavoir est petit ! autrefois il me paraissait immense ; j'avais emporté dans ma tête un océan et des forêts, et je retrouve une goutte d'eau et des brins d'herbe. Quelle est donc cette jeune fille qui chante à sa croisée derrière ces arbres ?

LE CHOEUR.– C'est Rosette, la sœur de lait de votre cousine Camille.

PERDICAN, *s'avançant.*– Descends vite, Rosette, et viens ici.

ROSETTE, *entrant.*– Oui, monseigneur.

PERDICAN.– Tu me voyais de ta fenêtre, et tu ne venais pas, méchante fille ? Donne-moi vite cette main-là, et ces joues-là, que je t'embrasse.

ROSETTE.– Oui, monseigneur.

PERDICAN.– Es-tu mariée, petite ? on m'a dit que tu l'étais.

ROSETTE.– Oh ! non.

PERDICAN.– Pourquoi ? Il n'y a pas dans le village de plus jolie fille que toi. Nous te marierons, mon enfant.

LE CHOEUR.–Monseigneur, elle veut mourir fille.

PERDICAN.– Est-ce vrai, Rosette ?

ROSETTE.–Oh ! non.

PERDICAN.– Ta sœur Camille est arrivée. L'as-tu vue ?

ROSETTE.– Elle n'est pas encore venue par ici.

PERDICAN.– Va-t'en vite mettre ta robe neuve, et viens souper au château.

SCENE V

Une salle.

Entrent LE BARON *et* MAITRE BLAZIUS.

MAITRE BLAZIUS.– Seigneur, j'ai un mot à vous dire ; le curé de la paroisse est un ivrogne.

LE BARON.– Fi donc ! cela ne se peut pas.

MAITRE BLAZIUS.– J'en suis certain; il a bu à dîner trois bouteilles de vin.

LE BARON.– Cela est exorbitant.

MAITRE BLAZIUS.– Et en sortant de table, il a marché sur les plates-bandes.

LE BARON.– Sur les plates-bandes ? – Je suis confondu. – Voilà qui est étrange ! – Boire trois bouteilles de vin à dîner ! marcher sur les plates-bandes ? c'est incompréhensible. Et pourquoi ne marchait-il pas dans l'allée ?

MAITRE BLAZIUS.– Parce qu'il allait de travers.

LE BARON, *à part.*– Je commence à croire que Bridaine avait raison ce matin. Ce Blazius sent le vin d'une manière horrible.

MAITRE BLAZIUS.– De plus, il a mangé beaucoup ; sa parole était embarrassée.

LE BARON.– Vraiment, je l'ai remarqué aussi.

MAITRE BLAZIUS.– Il a lâché quelques mots latins ; c'étaient autant de solécismes. Seigneur, c'est un homme dépravé.

LE BARON,*à part.*– Pouah ! ce Blazius a une odeur qui est intolérable. – Apprenez, gouverneur, que j'ai bien autre chose en tête, et que je ne me mêle jamais de ce qu'on boit ni de ce qu'on mange. Je ne suis point un majordome.

MAITRE BLAZIUS.– A Dieu ne plaise que je vous déplaise, monsieur le baron. Votre vin est bon.

LE BARON.– Il y a de bon vin dans mes caves.

MAITRE BRIDAINE,*entrant.*– Seigneur, votre fils est sur la place, suivi de tous les polissons du village.

LE BARON.– Cela est impossible.

MAITRE BRIDAINE.– Je l'ai vu de mes propres yeux. Il ramassait des cailloux pour faire des ricochets.

LE BARON.– Des ricochets ? ma tête s'égare ; voilà mes idées qui se bouleversent. Vous me faites un rapport insensé, Bridaine. Il est inouï qu'un docteur fasse des ricochets.

MAITRE BRIDAINE.– Mettez-vous à la fenêtre, monseigneur, vous le verrez de vos propres yeux.

LE BARON,*à part.*– O ciel ! Blazius a raison ; Bridaine va de travers.

MAITRE BRIDAINE.– Regardez, monseigneur, le voilà au bord du lavoir. Il tient sous le bras une jeune paysanne.

LE BARON.–Une jeune paysanne ? Mon fils vient-il ici pour débaucher mes vassales ? Une paysanne sous son bras ! et tous les gamins du village autour de lui ! Je me sens hors de moi.

MAITRE BRIDAINE.– Cela crie vengeance.

LE BARON.–Tout est perdu ! — perdu sans ressource ! — Je suis perdu : Bridaine va de travers, Blazius sent le vin à faire horreur, et mon fils séduit toutes les filles du village en faisant des ricochets.

Il sort.

ACTE II

SCENE I

Un jardin.

Entrent MAITRE BLAZIUS *et* PERDICAN.

MAITRE BLAZIUS.– Seigneur, votre père est au désespoir.

PERDICAN.– Pourquoi cela ?

MAITRE BLAZIUS.– Vous n'ignorez pas qu'il avait formé le projet de vous unir à votre cousine Camille ?

PERDICAN.– Eh bien ? – Je ne demande pas mieux.

MAITRE BLAZIUS.– Cependant le baron croit remarquer que vos caractères ne s'accordent pas.

PERDICAN.– Cela est malheureux ; je ne puis refaire le mien.

MAITRE BLAZIUS.– Rendrez-vous par là ce mariage impossible ?

PERDICAN.– Je vous répète que je ne demande pas mieux que d'épouser Camille. Allez trouver le baron et dites-lui cela.

MAITRE BLAZIUS.– Seigneur, je me retire: voilà votre cousine qui vient de ce côté.

Il sort.

Entre Camille.

PERDICAN.– Déjà levée, cousine ? J'en suis toujours pour ce que je t'ai dit hier ; tu es jolie comme un cœur.

CAMILLE.– Parlons sérieusement, Perdican ; votre père veut nous marier. Je ne sais ce que vous en pensez ; mais je crois bien faire en vous prévenant que mon parti est pris là-dessus.

PERDICAN.– Tant pis pour moi si je vous déplais.

CAMILLE.– Pas plus qu'un autre ; je ne veux pas me marier : il n'y a rien là dont votre orgueil doive souffrir.

PERDICAN.– L'orgueil n'est pas mon fait ; je n'en estime ni les joies ni les peines.

CAMILLE.– Je suis venue ici pour recueillir le bien de ma mère ; je retourne demain au couvent.

PERDICAN.– Il y a de la franchise dans ta démarche ; touche-là, et soyons bons amis.

CAMILLE.– Je n'aime pas les attouchements.

PERDICAN, *lui prenant la main.*– Donne-moi ta main, Camille, je t'en prie. Que crains-tu de moi ? Tu ne veux pas qu'on nous marie ? eh bien ! ne nous marions pas ; est-ce une raison pour nous haïr ? ne sommes-nous pas le frère et la sœur ? Lorsque ta mère a ordonné ce mariage dans son testament, elle a voulu que notre amitié fût éternelle, voilà tout ce qu'elle a voulu. Pourquoi nous marier ? voilà ta main et voilà la mienne ; et pour qu'elles restent unies ainsi jusqu'au dernier soupir, crois-tu qu'il nous faille un prêtre ? Nous n'avons besoin que de Dieu.

CAMILLE.– Je suis bien aise que mon refus vous soit indifférent.

64

PERDICAN.– Il ne m'est point indifférent, Camille. Ton amour m'eût donné la vie, mais ton amitié m'en consolera. Ne quitte pas le château demain ; hier, tu as refusé de faire un tour de jardin,
parce que tu voyais en moi un mari dont tu ne voulais pas. Reste ici quelques jours, laisse-moi espérer
que notre vie passée n'est pas morte à jamais dans
ton cœur.

CAMILLE.– Je suis obligée de partir.

PERDICAN.– Pourquoi ?

CAMILLE.– C'est mon secret.

PERDICAN.– En aimes-tu un autre que moi ?

CAMILLE.– Non ; mais je veux partir.

PERDICAN.– Irrévocablement ?

CAMILLE.– Oui, irrévocablement.

PERDICAN.– Eh bien ! adieu. J'aurais voulu
m'asseoir avec toi sous les marronniers du petit
bois et causer de bonne amitié une heure ou deux.
Mais si cela te déplaît, n'en parlons plus ; adieu,
mon enfant.

Il sort.

CAMILLE, *à dame Pluche qui entre.*– Dame Pluche, tout est-il prêt ? Partirons-nous demain ? Mon
tuteur a-t-il fini ses comptes ?

DAME PLUCHE.– Oui, chère colombe sans tache. Le baron m'a traitée de pécore hier soir, et je
suis enchantée de partir.

CAMILLE.– Tenez ; voilà un mot d'écrit que
vous porterez avant dîner, de ma part, à mon cousin Perdican.

DAME PLUCHE.– Seigneur, mon Dieu ! est-ce
possible ? Vous écrivez un billet à un homme ?

CAMILLE.– Ne dois-je pas être sa femme ? Je
puis bien écrire à mon fiancé.

DAME PLUCHE.– Le seigneur Perdican sort d'ici. Que pouvez-vous lui écrire ? Votre fiancé, miséricorde ! Serait-il vrai que vous oubliez Jésus ?

CAMILLE.– Faites ce que je vous dis, et disposez tout pour notre départ.

Elles sortent.

SCENE II

La salle à manger. – On met le couvert.

Entre MAITRE BRIDAINE.– Cela est certain, on lui donnera encore aujourd'hui la place d'honneur. Cette chaise que j'ai occupée si longtemps à la droite du baron sera la proie du gouverneur. O malheureux que je suis ! Un âne bâté, un ivrogne sans pudeur, me relègue au bas bout de la table ! Le majordome lui versera le premier verre de Malaga, et lorsque les plats arriveront à moi, ils seront à moitié froids et les meilleurs morceaux déjà avalés ; il ne restera plus autour des perdreaux ni choux ni carottes. O sainte Église catholique ! Qu'on lui ait donné cette place hier, cela se concevait ; il venait d'arriver ; c'était la première fois, depuis nombre d'années, qu'il s'asseyait à cette table. Dieu ! comme il dévorait ! Non, rien ne me restera que des os et des pattes de poulet. Je ne souffrirai pas cet affront. Adieu, vénérable fauteuil où je me suis renversé tant de fois gorgé de mets succulents ! Adieu, bouteilles cachetées, fumet sans pareil de venaisons cuites à point ! Adieu, table splendide, noble salle à manger, je ne dirai plus le bénédicité ! Je retourne à ma cure ; on ne me verra pas confondu parmi la foule des convives, et j'aime mieux, comme César, être le premier au village que le second dans Rome.

Il sort.

SCENE III

Un champ devant une petite maison.

Entrent ROSETTE *et* PERDICAN.

PERDICAN.– Puisque ta mère n'y est pas, viens faire un tour de promenade.

ROSETTE.– Croyez-vous que cela me fasse du bien, tous ces baisers que vous me donnez ?

PERDICAN.– Quel mal y trouves-tu ? Je t'embrasserais devant ta mère. N'es-tu pas la sœur de Camille ? ne suis-je pas ton frère comme je suis le sien ?

ROSETTE.– Des mots sont des mots et des baisers sont des baisers. Je n'ai guère d'esprit, et je m'en aperçois bien sitôt que je veux dire quelque chose. Les belles dames savent leur affaire, selon qu'on leur baise la main droite ou la main gauche ; leurs pères les embrassent sur le front, leurs frères sur la joue, leurs amoureux sur les lèvres ; moi, tout le monde m'embrasse sur les deux joues, et cela me chagrine.

PERDICAN.– Que tu es jolie, mon enfant !

ROSETTE.– Il ne faut pas non plus vous fâcher pour cela. Comme vous paraissez triste ce matin ! Votre mariage est donc manqué ?

67

PERDICAN.– Les paysans de ton village se souviennent de m'avoir aimé ; les chiens de la basse-
cour et les arbres du bois s'en souviennent aussi ;
mais Camille ne s'en souvient pas. Et toi, Rosette,
à quand le mariage ?

ROSETTE.– Ne parlons pas de cela, voulez-
vous ? Parlons du temps qu'il fait, de ces fleurs que
voilà, de vos chevaux et de mes bonnets.

PERDICAN.– De tout ce qui te plaira, de tout
ce qui peut passer sur tes lèvres sans leur ôter ce
sourire céleste que je respecte plus que ma vie.

Il l'embrasse.

ROSETTE.– Vous respectez mon sourire, mais
vous ne respectez guère mes lèvres, à ce qu'il me
semble. Regardez donc ; voilà une goutte de pluie
qui me tombe sur la main, et cependant le ciel est
pur.

PERDICAN.– Pardonne-moi.

ROSETTE.– Que vous ai-je fait, pour que vous
pleuriez ?

Ils sortent.

SCENE IV

Au château.

Entrent MAITRE BLAZIUS *et* LE BARON.

MAITRE BLAZIUS.– Seigneur, j'ai une chose
singulière à vous dire. Tout à l'heure, j'étais par
hasard dans l'office, je veux dire dans la galerie :
qu'aurais-je été faire dans l'office ? J'étais donc
dans la galerie. J'avais trouvé par accident une bouteille, je veux dire une carafe d'eau : comment au-

rais-je trouvé une bouteille dans la galerie ? J'étais donc en train de boire un coup de vin, je veux dire un verre d'eau, pour passer le temps, et je regardais par la fenêtre, entre deux vases de fleurs qui me paraissaient d'un goût moderne, bien qu'ils soient imités de l'étrusque...

LE BARON.– Quelle insupportable manière de parler vous avez adoptée, Blazius ! vos discours sont inexplicables.

MAITRE BLAZIUS.–Écoutez-moi, seigneur, prêtez-moi un moment d'attention. Je regardais donc par la fenêtre. Ne vous impatientez pas, au nom du ciel, il y va de l'honneur de la famille.

LE BARON.– De la famille ! voilà qui est incompréhensible. De l'honneur de la famille, Blazius ! Savez-vous que nous sommes trente-sept mâles, et presque autant de femmes, tant à Paris qu'en province ?

MAITRE BLAZIUS.– Permettez-moi de continuer. Tandis que je buvais un coup de vin, je veux dire un verre d'eau, pour hâter la digestion tardive, imaginez que j'ai vu passer sous la fenêtre dame Pluche hors d'haleine.

LE BARON.– Pourquoi hors d'haleine, Blazius ? ceci est insolite.

MAITRE BLAZIUS.– Et à côté d'elle, rouge de colère, votre nièce Camille.

LE BARON.–Qui était rouge de colère, ma nièce, ou dame Pluche ?

MAITRE BLAZIUS.– Votre nièce, seigneur.

LE BARON.– Ma nièce rouge de colère ! Cela est inouï ! Et comment savez-vous que c'était de colère ? Elle pouvait être rouge pour mille raisons ; elle avait sans doute poursuivi quelques papillons dans mon parterre.

MAITRE BLAZIUS.– Je ne puis rien affirmer là-dessus ; cela se peut ; mais elle s'écriait avec force : Allez-y ! trouvez-le ! faites ce qu'on vous dit ! vous êtes une sotte ! je le veux ! Et elle frappait avec son éventail sur le coude de dame Pluche, qui faisait un soubresaut dans la luzerne à chaque exclamation.

LE BARON.– Dans la luzerne ! et que répondait la gouvernante aux extravagances de ma nièce ? car cette conduite mérite d'être qualifiée ainsi.

MAITRE BLAZIUS.– La gouvernante répondait : Je ne veux pas y aller ! Je ne l'ai pas trouvé ! Il fait la cour aux filles du village, à des gardeuses de dindons ! Je suis trop vieille pour commencer à porter des messages d'amour ; grâce à Dieu, j'ai vécu les mains pures jusqu'ici ; — et tout en parlant elle froissait dans ses mains un petit papier plié en quatre.

LE BARON.– Je n'y comprends rien ; mes idées s'embrouillent tout à fait. Quelle raison pouvait avoir dame Pluche pour froisser un papier plié en quatre en faisant des soubresauts dans une luzerne ! Je ne puis ajouter foi à de pareilles monstruosités.

MAITRE BLAZIUS.– Ne comprenez-vous pas clairement, seigneur, ce que cela signifiait ?

LE BARON.–Non, en vérité, non, mon ami, je n'y comprends absolument rien. Tout cela me paraît une conduite désordonnée, il est vrai, mais sans motif comme sans excuse.

MAITRE BLAZIUS.– Cela veut dire que votre nièce a une correspondance secrète.

LE BARON.– Que dites-vous ? Songez-vous de qui vous parlez ? Pesez vos paroles, monsieur l'abbé.

MAITRE BLAZIUS.– Je les pèserais dans la balance céleste qui doit peser mon âme au jugement dernier, que je n'y trouverais pas un mot qui sente la fausse monnaie. Votre nièce a une correspondance secrète.

LE BARON.– Mais songez donc, mon ami, que cela est impossible.

MAITRE BLAZIUS.– Pourquoi aurait-elle chargé sa gouvernante d'une lettre ? Pourquoi aurait-elle crié : *Trouvez-le !* tandis que l'autre boudait et rechignait ?

LE BARON.– Et à qui était adressée cette lettre ?

MAITRE BLAZIUS.– Voilà précisément le *hic*, monseigneur, *hic jacet lepus.* A qui était adressée cette lettre ? à un homme qui fait la cour à une gardeuse de dindons. Or, un homme qui recherche en public une gardeuse de dindons peut être soupçonné violemment d'être né pour les garder lui-même. Cependant il est impossible que votre nièce, avec l'éducation qu'elle a reçue, soit éprise d'un tel homme ; voilà ce que je dis, et ce qui fait que je n'y comprends rien non plus que vous, révérence parler.

LE BARON.– O ciel ! ma nièce m'a déclaré ce matin même qu'elle refusait son cousin Perdican. Aimerait-elle un gardeur de dindons ? Passons dans mon cabinet ; j'ai éprouvé depuis hier des secousses si violentes, que je ne puis rassembler mes idées.

Ils sortent.

71

SCENE V

Une fontaine dans un bois.

Entre PERDICAN, *lisant un billet.* – « Trouvez-vous à midi à la petite fontaine. » Que veut dire cela ? tant de froideur, un refus si positif, si cruel, un orgueil si insensible, et un rendez-vous par-dessus tout ? Si c'est pour me parler d'affaires, pourquoi choisir un pareil endroit ? Est-ce une coquetterie ? Ce matin, en me promenant avec Rosette, j'ai entendu remuer dans les broussailles, et il m'a semblé que c'était un pas de biche. Y a-t-il ici quelque intrigue ?

Entre Camille.

CAMILLE. – Bonjour, cousin ; j'ai cru m'apercevoir, à tort ou à raison, que vous me quittiez tristement ce matin. Vous m'avez pris la main malgré moi, je viens vous demander de me donner la vôtre. Je vous ai refusé un baiser, le voilà.

Elle l'embrasse.

Maintenant, vous m'avez dit que vous seriez bien aise de causer de bonne amitié. Asseyez-vous là, et causons.

Elle s'assoit.

PERDICAN. – Avais-je fait un rêve, ou en fais-je un autre en ce moment ?

CAMILLE. – Vous avez trouvé singulier de recevoir un billet de moi, n'est-ce pas ? Je suis d'humeur changeante ; mais vous m'avez dit ce matin un mot très juste : « Puisque nous nous quittons, quittons-nous bons amis. » Vous ne savez pas la raison pour laquelle je pars, et je viens vous la dire : je vais prendre le voile.

PERDICAN.– Est-ce possible ? Est-ce toi, Camille, que je vois dans cette fontaine, assise sur les marguerites, comme aux jours d'autrefois ?

CAMILLE.– Oui, Perdican, c'est moi. Je viens revivre un quart d'heure de la vie passée. Je vous ai paru brusque et hautaine ; cela est tout simple, j'ai renoncé au monde. Cependant, avant de le quitter, je serais bien aise d'avoir votre avis. Trouvez-vous que j'aie raison de me faire religieuse ?

PERDICAN.– Ne m'interrogez pas là-dessus, car je ne me ferai jamais moine.

CAMILLE.– Depuis près de dix ans que nous avons vécu éloignés l'un de l'autre, vous avez commencé l'expérience de la vie. Je sais quel homme vous êtes, et vous devez avoir beaucoup appris en peu de temps avec un cœur et un esprit comme les vôtres. Dites-moi, avez-vous eu des maîtresses ?

PERDICAN.– Pourquoi cela ?

CAMILLE.– Répondez-moi, je vous en prie, sans modestie et sans fatuité.

PERDICAN.– J'en ai eu.

CAMILLE.– Les avez-vous aimées ?

PERDICAN.– De tout mon cœur.

CAMILLE.– Où sont-elles maintenant ? Le savez-vous ?

PERDICAN.– Voilà, en vérité, des questions singulières. Que voulez-vous que je vous dise ? Je ne suis ni leur mari ni leur frère ; elles sont allées où bon leur a semblé.

CAMILLE.– Il doit nécessairement y en avoir une que vous ayez préférée aux autres. Combien de temps avez-vous aimé celle que vous avez aimée le mieux ?

PERDICAN.– Tu es une drôle de fille ! Veux-tu te faire mon confesseur ?

CAMILLE.– C'est une grâce que je vous demande, de me répondre sincèrement. Vous n'êtes point un libertin, et je crois que votre cœur a de la probité. Vous avez dû inspirer l'amour, car vous le méritez, et vous ne vous seriez pas livré à un caprice. Répondez-moi, je vous en prie.

PERDICAN.– Ma foi, je ne m'en souviens pas.

CAMILLE.– Connaissez-vous un homme qui n'ait aimé qu'une femme ?

PERDICAN.– Il y en a certainement.

CAMILLE.– Est-ce un de vos amis ? Dites-moi son nom.

PERDICAN.– Je n'ai pas de nom à vous dire ; mais je crois qu'il y a des hommes capables de n'aimer qu'une fois.

CAMILLE.– Combien de fois un honnête homme peut-il aimer ?

PERDICAN.– Veux-tu me faire réciter une litanie, ou récites-tu toi-même un catéchisme ?

CAMILLE.– Je voudrais m'instruire, et savoir si j'ai tort ou raison de me faire religieuse. Si je vous épousais, ne devriez-vous pas répondre avec franchise à toutes mes questions, et me montrer votre cœur à nu ? Je vous estime beaucoup, et je vous crois, par votre éducation et par votre nature, supérieur à beaucoup d'autres hommes. Je suis fâchée que vous ne vous souveniez plus de ce que je vous demande ; peut-être en vous connaissant mieux je m'enhardirais.

PERDICAN.– Où veux-tu en venir ? parle ; je répondrai.

CAMILLE.– Répondez donc à ma première question. Ai-je raison de rester au couvent ?

PERDICAN.– Non.

CAMILLE.– Je ferais donc mieux de vous épouser ?

PERDICAN.– Oui.

CAMILLE.– Si le curé de votre paroisse soufflait sur un verre d'eau, et vous disait que c'est un verre de vin, le boiriez-vous comme tel ?

PERDICAN.– Non.

CAMILLE.– Si le curé de votre paroisse soufflait sur vous, et me disait que vous m'aimerez toute votre vie, aurais-je raison de la croire ?

PERDICAN.– Oui et non.

CAMILLE.– Que me conseilleriez-vous de faire le jour où je verrais que vous ne m'aimez plus ?

PERDICAN.– De prendre un amant.

CAMILLE.– Que ferai-je ensuite le jour où mon amant ne m'aimera plus ?

PERDICAN.– Tu en prendras un autre.

CAMILLE.– Combien de temps cela durera-t-il ?

PERDICAN.– Jusqu'à ce que tes cheveux soient gris, et alors les miens seront blancs.

CAMILLE.– Savez-vous ce que c'est que les cloîtres, Perdican ? Vous êtes-vous jamais assis un jour entier sur le banc d'un monastère de femmes ?

PERDICAN.– Oui ; je m'y suis assis.

CAMILLE.– J'ai pour amie une sœur qui n'a que trente ans, et qui a eu cinq cent mille livres de revenu à l'âge de quinze ans. C'est la plus belle et la plus noble créature qui ait marché sur terre. Elle était pairesse du parlement, et avait pour mari un des hommes les plus distingués de France. Aucune des nobles facultés humaines n'était restée sans culture en elle, et, comme un arbrisseau d'une sève choisie, tous ses bourgeons avaient donné des ramures. Jamais l'amour et le bonheur ne poseront leur couronne fleurie sur un front plus beau ; son mari l'a trompée ; elle a aimé un autre homme, et elle se meurt de désespoir.

PERDICAN.– Cela est possible.

CAMILLE.– Nous habitons la même cellule, et j'ai passé des nuits entières à parler de ses malheurs ; ils sont presque devenus les miens ; cela est singulier, n'est-ce pas ? Je ne sais trop comment cela se fait. Quand elle me parlait de son mariage, quand elle me peignait d'abord l'ivresse des premiers jours, puis la tranquillité des autres, et comme enfin tout s'était envolé ; comme elle était assise le soir au coin du feu, et lui auprès de la fenêtre, sans se dire un seul mot ; comme leur amour avait langui, et comme tous les efforts pour se rapprocher n'aboutissaient qu'à des querelles ; comme une figure étrangère est venue peu à peu se placer entre eux et se glisser dans leurs souffrances : c'était moi que je voyais agir tandis qu'elle parlait. Quand elle disait : Là, j'ai été heureuse, mon cœur bondissait ; et quand elle ajoutait : Là, j'ai pleuré, mes larmes coulaient. Mais figurez-vous quelque chose de plus singulier encore ; j'avais fini par me créer une vie imaginaire ; cela a duré quatre ans ; il est inutile de vous dire par combien de réflexions, de retours sur moi-même, tout cela est venu. Ce que je voulais vous raconter, comme une curiosité, c'est que tous les récits de Louise, toutes les fictions de mes rêves portaient votre ressemblance.

PERDICAN.– Ma ressemblance, à moi ?

CAMILLE.– Oui, et cela est naturel : vous étiez le seul homme que j'eusse connu. En vérité, je vous ai aimé, Perdican.

PERDICAN.– Quel âge as-tu, Camille ?

CAMILLE.– Dix-huit ans.

PERDICAN.–   Continue, continue ; j'écoute.

CAMILLE.– Il y a deux cents femmes dans notre couvent ; un petit nombre de ces femmes ne connaître jamais la vie, et tout le reste attend la mort. Plus d'une parmi elles sont sorties du monastère comme j'en sors aujourd'hui, vierges et pleines d'espérances. Elles sont revenues peu de temps après, vieilles et désolées. Tous les jours il en meurt dans nos dortoirs, et tous les jours il en vient de nouvelles prendre la place des mortes sur les matelas de crin. Les étrangers qui nous visitent admirent le calme et l'ordre de la maison ; ils regardent attentivement la blancheur de nos voiles ; mais ils se demandent pourquoi nous les rabaissons sur nos yeux. Que pensez-vous de ces femmes, Perdican ? Ont-elles tort, ou ont-elles raison ?

PERDICAN.–   Je n'en sais rien.

CAMILLE.– Il s'en est trouvé quelques-unes qui me conseillent de rester vierge. Je suis bien aise de vous consulter. Croyez-vous que ces femmes-là auraient mieux fait de prendre un amant et de me conseiller d'en faire autant ?

PERDICAN.–   Je n'en sais rien.

CAMILLE.– Vous aviez promis de me répondre.

PERDICAN.–   J'en suis dispensé tout naturellement ; je ne crois pas que ce soit toi qui parles.

CAMILLE.– Cela se peut, il doit y avoir dans toutes mes idées des choses très ridicules. Il se peut bien qu'on m'ait fait la leçon, et que je ne sois qu'un perroquet mal appris. Il y a dans la galerie un petit tableau qui représente un moine courbé sur un missel ; à travers les barreaux obscurs de sa cellule glisse un faible rayon de soleil, et on aperçoit une locanda italienne devant laquelle danse un chevrier. Lequel de ces deux hommes estimez-vous davantage ?

PERDICAN.– Ni l'un ni l'autre et tous les deux. Ce sont deux hommes de chair et d'os ; il y en a un qui lit, et un autre qui danse ; je n'y vois pas autre chose. Tu as raison de te faire religieuse.

CAMILLE.– Vous me disiez non tout à l'heure.

PERDICAN.– Ai-je dit non ? Cela est possible.

CAMILLE.– Ainsi vous me le conseillez ?

PERDICAN.– Ainsi tu ne crois à rien ?

CAMILLE.– Lève la tête, Perdican ! quel est l'homme qui ne croit à rien ?

PERDICAN, *se levant.*– En voilà un ; je ne crois pas à la vie immortelle. — Ma sœur chérie, les religieuses t'ont donné leur expérience ; mais, crois-moi, ce n'est pas la tienne ; tu ne mourras pas sans aimer.

CAMILLE.– Je veux aimer, mais je ne veux pas souffrir ; je veux aimer d'un amour éternel, et faire des serments qui ne se violent pas. Voilà mon amant.

Elle montre son crucifix.

PERDICAN.– Cet amant-là n'exclut pas les autres.

CAMILLE.– Pour moi, du moins, il les exclura. Ne souriez pas, Perdican ! Il y a dix ans que je ne vous ai vu, et je pars demain. Dans dix autres années, si nous nous revoyons, nous en reparlerons. J'ai voulu ne pas rester dans votre souvenir comme une froide statue ; car l'insensibilité mène au point où j'en suis. Écoutez-moi ; retournez à la vie, et tant que vous serez heureux, tant que vous aimerez comme on peut aimer sur la terre, oubliez votre sœur Camille ; mais s'il vous arrive jamais d'être oublié ou d'oublier vous-même, si l'ange de l'espérance vous abandonne, lorsque vous serez seul avec le vide dans le cœur, pensez à moi qui prierai pour vous.

PERDICAN.– Tu es une orgueilleuse ; prends garde à toi.

CAMILLE.– Pourquoi ?

PERDICAN.– Tu as dix-huit ans, et tu ne crois pas à l'amour !

CAMILLE.– Y croyez-vous, vous qui parlez ? vous voilà courbé près de moi avec des genoux qui se sont usés sur les tapis de vos maîtresses, et vous n'en savez plus le nom. Vous avez pleuré des larmes de joie et des larmes de désespoir ; mais vous saviez que l'eau des sources est plus constante que vos larmes, et qu'elle serait toujours là pour laver vos paupières gonflées. Vous faites votre métier de jeune homme, et vous souriez quand on vous parle de femmes désolées ; vous ne croyez pas qu'on puisse mourir d'amour, vous qui vivez et qui avez aimé. Qu'est-ce donc que le monde ? Il me semble que vous devez cordialement mépriser les femmes qui vous prennent tel que vous êtes, et qui chassent leur dernier amant pour vous attirer dans leurs bras avec les baisers d'une autre sur les lèvres. Je vous demandais tout à l'heure si vous aviez aimé ; vous m'avez répondu comme un voyageur à qui l'on demanderait s'il a été en Italie ou en Allemagne, et qui dirait : Oui, j'y ai été ; puis qui penserait à aller en Suisse, ou dans le premier pays venu. Est-ce donc une monnaie que votre amour, pour qu'il puisse passer ainsi de mains en mains jusqu'à la mort ? Non, ce n'est pas même une monnaie ; car la plus mince pièce d'or vaut mieux que vous, et dans quelques mains qu'elle passe, elle garde son effigie.

PERDICAN.– Que tu es belle, Camille, lorsque tes yeux s'animent !

CAMILLE.– Oui, je suis belle, je le sais. Les complimenteurs ne m'apprendront rien ; la froide nonne qui coupera mes cheveux pâlira peut-être de sa mutilation ; mais ils ne se changeront pas en bagues et en chaînes pour courir les boudoirs ; il n'en manquera pas un seul sur ma tête lorsque le fer y passera ; je ne veux qu'un coup de ciseau, et quand le prêtre qui me bénira me mettra au doigt l'anneau d'or de mon époux céleste, la mèche de cheveux que je lui donnerai pourra lui servir de manteau.

PERDICAN.– Tu es en colère, en vérité.

CAMILLE.– J'ai eu tort de parler ; j'ai ma vie entière sur les lèvres. O Perdican ! ne raillez pas ; tout cela est triste à mourir.

PERDICAN.– Pauvre enfant, je te laisse dire, et j'ai bien envie de te répondre un mot. Tu me parles d'une religieuse qui me paraît avoir eu sur toi une influence funeste ; tu dis qu'elle a été trompée, qu'elle a trompé elle-même, et qu'elle est désespérée. Es-tu sûre que si son mari ou son amant revenait lui tendre la main à travers la grille du parloir, elle ne lui tendrait pas la sienne ?

CAMILLE.– Qu'est-ce que vous dites ? J'ai mal entendu.

PERDICAN.– Es-tu sûre que si son mari ou son amant revenait lui dire de souffrir encore, elle répondrait non ?

CAMILLE.– Je le crois.

PERDICAN.– Il y a deux cents femmes dans ton monastère, et la plupart ont au fond du cœur des blessures profondes ; elles te les ont fait toucher, et elles ont coloré ta pensée virginale des gouttes de leur sang. Elles ont vécu, n'est-ce pas ?

et elles t'ont montré avec horreur la route de leur vie ; tu t'es signée devant leurs cicatrices comme devant les plaies de Jésus ; elles t'ont fait une place dans leurs processions lugubres, et tu te serres contre ces corps décharnés avec une crainte religieuse, lorsque tu vois passer un homme. Es-tu sûre que si l'homme qui passe était celui qui les a trompées, celui pour qui elles pleurent et elles souffrent, celui qu'elles maudissent en priant Dieu, es-tu sûre qu'en le voyant elles ne briseraient pas leurs chaînes pour courir à leurs malheurs passés, et pour presser leurs poitrines sanglantes sur le poignard qui les a meurtries ? O mon enfant ! sais-tu les rêves de ces femmes, qui te disent de ne pas rêver ? Sais-tu quel nom elles murmurent quand les sanglots qui sortent de leurs lèvres font trembler l'hostie qu'on leur présente ? Elles qui s'assoient près de toi avec leurs têtes branlantes pour verser dans ton oreille leur vieillesse flétrie, elles qui sonnent dans les ruines de ta jeunesse le tocsin de leur désespoir, et qui font sentir à ton sang vermeil la fraîcheur de leurs tombes, sais-tu qui elles sont ?

CAMILLE.– Vous me faites peur ; la colère vous prend aussi.

PERDICAN.– Sais-tu ce que c'est que des nonnes, malheureuse fille ? Elles qui te représentent l'amour des hommes comme un mensonge, savent-elles qu'il y a pis encore, le mensonge de l'amour divin ? Savent-elles que c'est un crime qu'elles font, de venir chuchoter à une vierge des paroles de femme ? Ah ! comme elles t'ont fait la leçon ! Comme j'avais prévu tout cela quand tu t'es arrêtée devant le portrait de notre vieille tante ! Tu voulais partir sans me serrer la main ; tu ne voulais revoir ni ce bois, ni cette pauvre petite fontaine qui nous regarde toute en larmes ; tu reniais les jours de ton enfance, et le masque de plâtre que les nonnes t'ont placé sur les joues me refusait un baiser de frère ; mais ton cœur a battu ; il a oublié sa leçon, lui qui ne sait pas lire, et tu es revenue t'asseoir sur l'herbe où nous voilà. Eh bien ! Camille, ces femmes ont bien parlé ; elles t'ont mise dans le vrai chemin ; il pourra m'en coûter le bonheur de ma vie ; mais dis-leur cela de ma part : le ciel n'est pas pour elles.

CAMILLE.– Ni pour moi, n'est-ce pas ?

PERDICAN.– Adieu, Camille, retourne à ton couvent, et lorsqu'on te fera de ces récits hideux qui t'ont empoisonnée, réponds ce que je vais te dire : Tous les hommes sont menteurs, inconstants, faux, bavards, hypocrites, orgueilleux et lâches, méprisables et sensuels ; toutes les femmes sont perfides, artificieuses, vaniteuses, curieuses et dépravées ; le monde n'est qu'un égout sans fond où les phoques les plus informes rampent et se tordent sur des montagnes de fange ; mais il y a au monde une chose sainte et sublime, c'est l'union de deux de ces êtres si imparfaits et si affreux. On est souvent trompé en amour, souvent blessé et souvent malheureux ; mais on aime, et quand on est sur le bord de sa tombe, on se retourne pour regarder en arrière, et on se dit : J'ai souffert souvent, je me suis trompé quelquefois ; mais j'ai aimé. C'est moi qui ai vécu, et non pas un être factice créé par mon orgueil et mon ennui.

Il sort.

ACTE III

SCENE I

Devant le château.

Entrent LE BARON *et* MAITRE BLAZIUS.

LE BARON.– Indépendamment de votre ivrognerie, vous êtes un bélître, maître Blazius. Mes valets vous voient entrer furtivement dans l'office, et quand vous êtes convaincu d'avoir volé mes bouteilles de la manière la plus pitoyable, vous croyez vous justifier en accusant ma nièce d'une correspondance secrète.

MAITRE BLAZIUS.– Mais, monseigneur, veuillez vous rappeler...

LE BARON.– Sortez, monsieur l'abbé, et ne reparaissez jamais devant moi ; il est déraisonnable d'agir comme vous faites, et ma gravité m'oblige à ne vous pardonner de ma vie.

Il sort ; maître Blazius le suit.
Entre Perdican.

PERDICAN.– Je voudrais bien savoir si je suis amoureux. D'un côté, cette manière d'interroger tant soit peu cavalière, pour une fille de dix-huit

83

ans ; d'un autre, les idées que ces nonnes lui ont fourrées dans la tête auront de la peine à se corriger. De plus, elle doit partir aujourd'hui. Diable ! je l'aime, cela est sûr. Après tout, qui sait ? peut-être elle répétait une leçon, et d'ailleurs il est clair qu'elle ne se soucie pas de moi. D'une autre part, elle a beau être jolie, cela n'empêche pas qu'elle n'ait des manières beaucoup trop décidées, et un ton trop brusque. Je n'ai qu'à n'y plus penser ; il est clair que je ne l'aime pas. Cela est certain qu'elle est jolie ; mais pourquoi cette conversation d'hier ne veut-elle pas me sortir de la tête ? En vérité, j'ai passé la nuit à radoter. Où vais-je donc ? — Ah ! je vais au village.

Il sort.

SCENE II

Un chemin.

Entre MAITRE BRIDAINE.— Que font-ils maintenant ? Hélas ! voilà midi. — Ils sont à table. Que mangent-ils ? que ne mangent-ils pas ? J'ai vu la cuisinière traverser le village, avec un énorme dindon. L'aide portait les truffes, avec un panier de raisin.

Entre maître Blazius.

MAITRE BLAZIUS.—O disgrâce imprévue ! me voilà chassé du château, par conséquent de la salle à manger. Je ne boirai plus le vin de l'office.

MAITRE BRIDAINE.– Je ne verrai plus fumer les plats ; je ne chaufferai plus au feu de la noble cheminée mon ventre copieux.

MAITRE BLAZIUS.– Pourquoi une fatale curiosité m'a-t-elle poussé à écouter le dialogue de dame Pluche et de sa nièce ? Pourquoi ai-je rapporté au baron tout ce que j'ai vu ?

MAITRE BRIDAINE.– Pourquoi un vain orgueil m'a-t-il éloigné de ce dîner honorable où j'étais si bien accueilli ? Que m'importait d'être à droite ou à gauche ?

MAITRE BLAZIUS.– Hélas ! j'étais gris, il faut en convenir, lorsque j'ai fait cette folie.

MAITRE BRIDAINE.– Hélas ! le vin m'avait monté à la tête quand j'ai commis cette imprudence.

MAITRE BLAZIUS.– Il me semble que voilà le curé.

MAITRE BRIDAINE.– C'est le gouverneur en personne.

MAITRE BLAZIUS.– Oh ! oh ! monsieur le curé, que faites-vous là ?

MAITRE BRIDAINE.– Moi ! je vais dîner. N'y venez-vous pas ?

MAITRE BLAZIUS.– Pas aujourd'hui. Hélas ! maître Bridaine, intercédez pour moi ; le baron m'a chassé. J'ai accusé faussement mademoiselle Camille d'avoir une correspondance secrète, et cependant Dieu m'est témoin que j'ai vu, ou que j'ai cru voir dame Pluche dans la luzerne. Je suis perdu, monsieur le curé.

MAITRE BRIDAINE.– Que m'apprenez-vous là ?

MAITRE BLAZIUS.– Hélas ! hélas ! la vérité ! Je suis en disgrâce complète pour avoir volé une bouteille.

MAITRE BRIDAINE.– Que parlez-vous, messire, de bouteilles volées à propos d'une luzerne et d'une correspondance ?

MAITRE BLAZIUS.–Je vous supplie de plaider ma cause. Je suis honnête, seigneur Bridaine. O digne seigneur Bridaine, je suis votre serviteur.

MAITRE BRIDAINE, *à part.*– O fortune ! est-ce un rêve ? Je serai donc assis sur toi, ô chaise bien-heureuse !

MAITRE BLAZIUS.– Je vous serai reconnais-sant d'écouter mon histoire, et de vouloir bien m'excuser, brave seigneur, cher curé.

MAITRE BRIDAINE.–Cela m'est impossible, monsieur, il est midi sonné, et je m'en vais dîner. Si le baron se plaint de vous, c'est votre affaire. Je n'intercède point pour un ivrogne.

A part.

Vite, volons à la grille ; et toi, mon ventre, arrondis-toi.

Il sort en courant.

MAITRE BLAZIUS, *seul.*–Misérable Pluche ! c'est toi qui paieras pour tous ; oui, c'est toi qui es la cause de ma ruine, femme déhontée, vile entre-metteuse. C'est à toi que je dois cette disgrâce. O sainte université de Paris ! on me traite d'ivrogne ! Je suis perdu si je ne saisis une lettre, et si je ne prouve au baron que sa nièce a une correspondan-ce. Je l'ai vue ce matin écrire à son bureau. Patien-ce ! voici du nouveau.

Passe dame Pluche portant une lettre.

Pluche, donnez-moi cette lettre.

DAME PLUCHE.– Que signifie cela ? C'est une lettre de ma maîtresse que je vais mettre à la poste au village.

MAITRE BLAZIUS.– Donnez-la moi, ou vous êtes morte.

DAME PLUCHE.–Moi, morte ! morte, Marie, Jésus, vierge et martyr.

MAITRE BLAZIUS.– Oui, morte, Pluche ; donnez-moi ce papier.

Ils se battent ; entre Perdican.

PERDICAN.– Qu'y a-t-il ? Que faites-vous, Blazius ? Pourquoi violenter cette femme ?

DAME PLUCHE.– Rendez-moi la lettre. Il me l'a prise, seigneur, justice.

MAITRE BLAZIUS.–C'est une entremetteuse, seigneur. Cette lettre est un billet doux.

DAME PLUCHE.– C'est une lettre de Camille, seigneur, de votre fiancée.

MAITRE BLAZIUS.– C'est un billet doux à un gardeur de dindons.

DAME PLUCHE.– Tu en as menti, abbé. Apprends cela de moi.

PERDICAN.– Donnez-moi cette lettre ; je ne comprends rien à votre dispute ; mais en qualité de fiancé de Camille, je m'arroge le droit de la lire.

Il lit.

« A la sœur Louise, au couvent de *** . »
A part.

Quelle maudite curiosité me saisit malgré moi ? Mon cœur bat avec force, et je ne sais ce que j'éprouve. – Retirez-vous, dame Pluche, vous êtes une digne femme, et maître Blazius est un sot. Allez dîner ; je me charge de remettre cette lettre à la poste.

Sortent maître Blazius et dame Pluche.

PERDICAN, *seul.* – Que ce soit un crime d'ouvrir une lettre, je le sais trop bien pour le faire. Que peut dire Camille à cette sœur ? Suis-je donc amoureux ? Quel empire a donc pris sur moi cette singulière fille, pour que les trois mots écrits sur cette adresse me fassent trembler la main ? Cela est singulier ; Blazius, en se débattant avec la dame Pluche, a fait sauter le cachet. Est-ce un crime de rompre le pli ? Bon, je n'y changerai rien.

Il ouvre la lettre et lit.

« Je pars aujourd'hui, ma chère, et tout est arrivé comme je l'avais prévu. C'est une terrible chose ; mais ce pauvre jeune homme a le poignard dans le cœur. Cependant j'ai fait tout au monde pour le dégoûter de moi. Dieu me pardonnera de l'avoir réduit au désespoir par mon refus. Hélas ! ma chère, que pouvais-je y faire ? Priez pour moi ; nous nous reverrons demain, et pour toujours. Toute à vous du meilleur de mon âme.

« CAMILLE. »

Est-il possible ? Camille écrit cela ! C'est de moi qu'elle parle ainsi ! Moi au désespoir de son refus ! Eh ! bon Dieu ! si cela était vrai, on le verrait bien ; quelle honte peut-il y avoir à aimer ? Elle a fait tout au monde pour me dégoûter, dit-elle, et j'ai le poignard dans le cœur ? Quel intérêt peut-elle avoir à inventer un roman pareil ? Cette pensée que j'avais cette nuit est-elle donc vraie ? O femmes ! Cette pauvre Camille a peut-être une grande pitié ; c'est de bon cœur qu'elle se donne à Dieu, mais elle a résolu et décrété qu'elle me laisserait au désespoir. Cela était convenu entre les bonnes amies avant de partir du couvent. On a décidé que

88

Camille allait revoir son cousin, qu'on le lui voudrait faire épouser, qu'elle refuserait, et que le cousin serait désolé. Cela est si intéressant, une jeune
fille qui fait à Dieu le sacrifice du bonheur d'un
cousin ! Non, non, Camille, je ne t'aime pas, je ne
suis pas au désespoir, je n'ai pas le poignard dans
le cœur, et je te le prouverai. Oui, tu sauras que
j'en aime une autre avant de partir d'ici. Holà !
brave homme.

Entre un paysan.

Allez au château, dites à la cuisine qu'on envoie un valet porter à Mademoiselle Camille le billet que voici.

Il écrit.

LE PAYSAN.– Oui, monseigneur.

Il sort.

PERDICAN.– Maintenant, à l'autre. Ah ! je
suis au désespoir ! Holà ! Rosette ! Rosette !

Il frappe à une porte.

ROSETTE, *ouvrant.*–C'est vous, monseigneur ?
Entrez, ma mère y est.

PERDICAN.– Mets ton plus beau bonnet, Rosette, et viens avec moi.

ROSETTE.–Où donc ?

PERDICAN.– Je te le dirai ; demande la permis-
sion à ta mère, mais dépêche-toi.

ROSETTE.–Oui, monseigneur.

Elle rentre dans la maison.

PERDICAN.–J'ai demandé un nouveau rendez-
vous à Camille, et je suis sûr qu'elle y viendra ;
mais par le ciel, elle n'y trouvera pas ce qu'elle y
comptera trouver. Je veux faire la cour à Rosette
devant Camille elle-même.

SCENE III

Le petit bois.

Entrent CAMILLE *et* LE PAYSAN.

LE PAYSAN.– Mademoiselle, je vais au château porter une lettre pour vous ; faut-il que je vous la donne, ou que je la remette à la cuisine, comme me l'a dit le seigneur Perdican ?

CAMILLE.– Donne-la-moi.

LE PAYSAN.– Si vous aimez mieux que je la porte au château, ce n'est pas la peine de m'attarder.

CAMILLE.– Je te dis de me la donner.

LE PAYSAN.– Ce qui vous plaira.

Il donne la lettre.

CAMILLE.– Tiens, voilà pour ta peine.

LE PAYSAN.– Grand merci ; je m'en vais, n'est-ce pas ?

CAMILLE.– Si tu veux.

LE PAYSAN.– Je m'en vais, je m'en vais.

Il sort.

CAMILLE, *lisant.*– Perdican me demande de lui dire adieu avant de partir, près de la petite fontaine où je l'ai fait venir hier. Que peut-il avoir à me dire ? Voilà justement la fontaine, et je suis toute portée. Dois-je accorder ce second rendez-vous ? Ah !

Elle se cache derrière un arbre.

Voilà Perdican qui approche avec Rosette, ma sœur de lait. Je suppose qu'il va la quitter ; je suis bien aise de ne pas avoir l'air d'arriver la première.

Entrent Perdican et Rosette qui s'assoient.

CAMILLE, *cachée, à part.* – Que veut dire cela ? Il la fait asseoir près de lui ? Me demande-t-il un rendez-vous pour y venir causer avec une autre ? Je suis curieuse de savoir ce qu'il lui dit.

PERDICAN, *à haute voix, de manière que Camille l'entende.* – Je t'aime, Rosette ; toi seule au monde tu n'as rien oublié de nos beaux jours passés ; toi seule tu te souviens de la vie qui n'est plus ; prends ta part de ma vie nouvelle ; donne-moi ton cœur, chère enfant ; voilà le gage de notre amour.

Il lui pose sa chaîne sur le cou.

ROSETTE. – Vous me donnez votre chaîne d'or ?

PERDICAN. – Regarde à présent cette bague. Lève-toi, et approchons-nous de cette fontaine. Nous vois-tu tous les deux, dans la source, appuyés l'un sur l'autre ? Vois-tu tes beaux yeux près des miens, ta main dans la mienne ? Regarde tout cela s'effacer.

Il jette sa bague dans l'eau.

Regarde comme notre image a disparu ; la voilà qui revient peu à peu ; l'eau qui s'était troublée reprend son équilibre ; elle tremble encore ; de grands cercles noirs courent à sa surface ; patience, nous reparaissons ; déjà je distingue de nouveau tes bras enlacés dans les miens ; encore une minute, et il n'y aura plus une ride sur ton joli visage ; regarde ! c'était une bague que m'avait donnée Camille.

CAMILLE, *à part.* – Il a jeté ma bague dans l'eau.

PERDICAN. – Sais-tu ce que c'est que l'amour, Rosette ? Écoute ! le vent se tait ; la pluie du matin roule en perles sur les feuilles séchées que le soleil ranime. Par la lumière du ciel, par le soleil que voilà, je t'aime ! Tu veux bien de moi, n'est-ce pas ? On n'a pas flétri ta jeunesse ? on n'a pas infiltré dans ton sang vermeil le reste d'un sang affadi ? Tu ne veux pas te faire religieuse ; te voilà jeune et belle dans les bras d'un jeune homme. O Rosette, Rosette, sais-tu ce que c'est que l'amour ?

ROSETTE.— Hélas ! monsieur le docteur, je vous aimerai comme je pourrai.

PERDICAN.— Oui, comme tu pourras ; et tu m'aimeras mieux, tout docteur que je suis et toute paysanne que tu es, que ces pâles statues fabriquées par les nonnes, qui ont la tête à la place du cœur, et qui sortent des cloîtres pour venir répandre dans la vie l'atmosphère humide de leurs cellules ; tu ne sais rien ; tu ne lirais pas dans un livre la prière que ta mère t'apprend, comme elle l'a apprise de sa mère ; tu ne comprends même pas le sens des paroles que tu répètes, quand tu t'agenouilles au pied de ton lit ; mais tu comprends bien que tu pries, et c'est tout ce qu'il faut à Dieu.

ROSETTE.— Comme vous me parlez, monseigneur.

PERDICAN.— Tu ne sais pas lire ; mais tu sais ce que disent ces bois et ces prairies, ces tièdes rivières, ces beaux champs couverts de moissons, toute cette nature splendide de jeunesse. Tu reconnais tous ces milliers de frères, et moi pour l'un d'entre eux ; lève-toi ; tu seras ma femme, et nous prendrons racine ensemble dans la sève du monde tout-puissant.

Il sort avec Rosette.

SCENE IV

Entre LE CHOEUR.– Il se passe assurément quelque chose d'étrange au château ; Camille a refusé d'épouser Perdican ; elle doit retourner aujourd'hui au couvent dont elle est venue. Mais je crois que le seigneur son cousin s'est consolé avec Rosette. Hélas ! la pauvre fille ne sait pas quel danger elle court, en écoutant les discours d'un jeune et galant seigneur.

DAME PLUCHE, *entrant.*– Vite, vite, qu'on selle mon âne.

LE CHOEUR.– Passerez-vous comme un songe léger, ô vénérable dame ? Allez-vous si promptement enfourcher derechef cette pauvre bête qui est si triste de vous porter ?

DAME PLUCHE.– Dieu merci, chère canaille, je ne mourrai pas ici.

LE CHOEUR.– Mourez au loin, Pluche, ma mie; mourez inconnue dans un caveau malsain. Nous ferons des vœux pour votre respectable résurrection.

DAME PLUCHE.–Voici ma maîtresse qui s'avance.

A Camille qui entre.

Chère Camille, tout est prêt pour notre départ ; le baron a rendu ses comptes, et mon âne est bâté.

CAMILLE.– Allez au diable, vous et votre âne, je ne partirai pas aujourd'hui.

Elle sort.

LE CHOEUR.–Que veut dire ceci? Dame Pluche est pâle de terreur ; ses faux cheveux tentent de se hérisser, sa poitrine siffle avec force et ses doigts s'allongent en se crispant.

93

DAME PLUCHE.– Seigneur Jésus ! Camille a juré !

Elle sort.

SCENE V

Entrent LE BARON *et* MAITRE BRIDAINE.

MAITRE BRIDAINE.– Seigneur, il faut que je vous parle en particulier. Votre fils fait la cour à une fille du village.

LE BARON.– C'est absurde, mon ami.

MAITRE BRIDAINE.– Je l'ai vu distinctement passer dans la bruyère en lui donnant le bras ; il se penchait à son oreille et lui promettait de l'épouser.

LE BARON.– Cela est monstrueux.

MAITRE BRIDAINE.– Soyez-en convaincu ; il lui a fait un présent considérable que la petite a montré à sa mère.

LE BARON.– O ciel ! considérable, Bridaine ? En quoi considérable ?

MAITRE BRIDAINE.– Pour le poids et pour la conséquence. C'est la chaîne d'or qu'il portait à son bonnet.

LE BARON.– Passons dans mon cabinet ; je ne sais à quoi m'en tenir.

Ils sortent.

SCENE VI

La chambre de Camille.

Entrent CAMILLE *et* DAME PLUCHE.

CAMILLE.– Il a pris ma lettre, dites-vous ?

DAME PLUCHE.– Oui, mon enfant, il s'est chargé de la mettre à la poste.

CAMILLE.– Allez au salon, dame Pluche, et faites-moi le plaisir de dire à Perdican que je l'attends ici.

Dame Pluche sort.

Il a lu ma lettre, cela est certain ; sa scène du bois est une vengeance, comme son amour pour Rosette. Il a voulu me prouver qu'il en aimait une autre que moi, et jouer l'indifférent malgré son dépit. Est-ce qu'il m'aimerait, par hasard ?

Elle lève la tapisserie.

Es-tu là, Rosette ?

ROSETTE, *entrant.*– Oui ; puis-je entrer ?

CAMILLE.– Écoute-moi, mon enfant ; le seigneur Perdican ne te fait-il pas la cour ?

ROSETTE.– Hélas ! oui.

CAMILLE.– Que penses-tu de ce qu'il t'a dit ce matin ?

ROSETTE.– Ce matin ? Où donc ?

CAMILLE.– Ne fais pas l'hypocrite. — Ce matin, à la fontaine, dans le petit bois.

ROSETTE.– Vous m'avez donc vue ?

CAMILLE.– Pauvre innocente ! Non, je ne t'ai pas vue. Il t'a fait de beaux discours, n'est-ce pas ? Gageons qu'il t'a promis de t'épouser.

ROSETTE.– Comment le savez-vous ?

CAMILLE.– Qu'importe comment je le sais ? Crois-tu à ses promesses, Rosette ?

ROSETTE.– Comment n'y croirais-je pas ? Il me tromperait donc ? Pour quoi faire ?

CAMILLE.– Perdican ne t'épousera pas, mon enfant.

ROSETTE.– Hélas ! je n'en sais rien.

CAMILLE.– Tu l'aimes, pauvre fille ; il ne t'épousera pas, et la preuve, je vais te la donner ; rentre derrière ce rideau, tu n'auras qu'à prêter l'oreille et à venir quand je t'appellerai.

Rosette sort.

CAMILLE, *seule.*– Moi qui croyais faire un acte de vengeance, ferais-je un acte d'humanité ? La pauvre fille a le cœur pris.

Entre Perdican.

Bonjour, cousin, asseyez-vous.

PERDICAN.– Quelle toilette, Camille ! A qui en voulez-vous ?

CAMILLE.– A vous, peut-être ; je suis fâchée de n'avoir pu me rendre au rendez-vous que vous m'avez demandé ; vous aviez quelque chose à me dire ?

PERDICAN, *à part.*– Voilà, sur ma vie, un petit mensonge assez gros, pour un agneau sans tache ; je l'ai vue derrière un arbre écouter la conversation.

Haut.

Je n'ai rien à vous dire, qu'un adieu, Camille ; je croyais que vous partiez ; cependant votre cheval est à l'écurie, et vous n'avez pas l'air d'être en robe de voyage.

CAMILLE.– J'aime la discussion ; je ne suis pas bien sûre de ne pas avoir eu envie de me quereller encore avec vous.

PERDICAN.– A quoi sert de se quereller, quand le raccommodement est impossible ? Le plaisir des disputes, c'est de faire la paix.

CAMILLE.– Etes-vous convaincu que je ne veuille pas la faire ?

PERDICAN.– Ne raillez pas ; je ne suis pas de force à vous répondre.

CAMILLE.– Je voudrais qu'on me fît la cour ; je ne sais si c'est que j'ai une robe neuve, mais j'ai envie de m'amuser. Vous m'avez proposé d'aller au village, allons-y, je veux bien ; mettons-nous en bateau ; j'ai envie d'aller dîner sur l'herbe, ou de faire une promenade dans la forêt. Fera-t-il clair de lune, ce soir ? Cela est singulier ; vous n'avez plus au doigt la bague que je vous ai donnée.

PERDICAN.– Je l'ai perdue.

CAMILLE.– C'est donc pour cela que je l'ai trouvée ; tenez, Perdican, la voilà.

PERDICAN.– Est-ce possible ? Où l'avez-vous trouvée ?

CAMILLE.– Vous regardez si mes mains sont mouillées, n'est-ce pas ? En vérité, j'ai gâté ma robe de couvent pour retirer ce petit hochet d'enfant de la fontaine. Voilà pourquoi j'en ai mis une autre, et je vous dis, cela m'a changée ; mettez donc cela à votre doigt.

PERDICAN.– Tu as retiré cette bague de l'eau, Camille, au risque de te précipiter ? Est-ce un songe ? La voilà ; c'est toi qui me la mets au doigt ! Ah ! Camille, pourquoi me le rends-tu, ce triste gage d'un bonheur qui n'est plus ? Parle, coquette et imprudente fille, pourquoi pars-tu, pourquoi restes-tu ? Pourquoi, d'une heure à l'autre, changes-tu d'apparence et de couleur, comme la pierre de cette bague à chaque rayon du soleil !

CAMILLE.– Connaissez-vous le cœur des femmes, Perdican ? Etes-vous sûr de leur inconstance, et savez-vous si elles changent réellement de pensée en changeant quelquefois de langage ? Il y en a qui disent que non. Sans doute, il nous faut souvent jouer un rôle, souvent mentir ; vous voyez que je suis franche ; mais êtes-vous sûr que tout mente dans une femme, lorsque sa langue ment ? Avez-vous bien réfléchi à la nature de cet être faible et violent, à la rigueur avec laquelle on le juge, aux principes qu'on lui impose ? Et qui sait si, forcée à tromper par le monde, la tête de ce petit être sans cervelle ne peut pas y prendre plaisir, et mentir quelquefois par passe-temps, par folie, comme elle ment par nécessité ?

PERDICAN.– Je n'entends rien à tout cela, et je ne mens jamais. Je t'aime, Camille, voilà tout ce que je sais.

CAMILLE.– Vous dites que vous m'aimez, et vous ne mentez jamais ?

PERDICAN.– Jamais.

CAMILLE.– En voilà une qui dit pourtant que cela vous arrive quelquefois.

Elle lève la tapisserie, Rosette paraît dans le fond,
évanouie sur une chaise.

Que répondrez-vous à cette enfant, Perdican, lorsqu'elle vous demandera compte de vos paroles ? Si vous ne mentez jamais, d'où vient donc qu'elle s'est évanouie en vous entendant me dire que vous m'aimez ? Je vous laisse avec elle ; tâchez de la faire revenir.

Elle veut sortir.

PERDICAN.– Un instant, Camille, écoute-moi.

CAMILLE.– Que voulez-vous me dire ? c'est à Rosette qu'il faut parler. Je ne vous aime pas, moi ; je n'ai pas été chercher par dépit cette malheureuse enfant au fond de sa chaumière, pour en faire un appât, un jouet, je n'ai pas répété imprudemment devant elle des paroles brûlantes adressées à une autre ; je n'ai pas feint de jeter au vent pour elle le souvenir d'une amitié chérie ; je ne lui ai pas mis ma chaîne au cou ; je ne lui ai pas dit que je l'épouserais.

PERDICAN.– Écoutez-moi, écoutez-moi !

CAMILLE.– N'as-tu pas souri tout à l'heure quand je t'ai dit que je n'avais pu aller à la fontaine ? Eh bien ! oui, j'y étais, et j'ai tout entendu ; mais, Dieu m'en est témoin, je ne voudrais pas y avoir parlé comme toi. Que feras-tu de cette fille-là, maintenant, quand elle viendra, avec tes baisers ardents sur les lèvres, te montrer en pleurant la blessure que tu lui as faite ? Tu as voulu te venger de moi, n'est-ce pas, et me punir d'une lettre écrite à mon couvent ? Tu as voulu me lancer à tout prix quelque trait qui pût m'atteindre, et tu comptais pour rien que ta flèche empoisonnée traversât cette enfant, pourvu qu'elle me frappât derrière elle. Je m'étais vantée de t'avoir inspiré quelque amour, de te laisser quelque regret. Cela t'a blessé dans ton noble orgueil ? Eh bien ! apprends-le de moi, tu m'aimes, entends-tu ; mais tu épouseras cette fille, ou tu n'es qu'un lâche.

PERDICAN.– Oui, je l'épouserai.

99

CAMILLE.— Et tu feras bien.

PERDICAN.— Très bien, et beaucoup mieux qu'en t'épousant toi-même. Qu'y a-t-il, Camille, qui t'échauffe si fort ? Cette enfant s'est évanouie ; nous la ferons bien revenir ; il ne faut pour cela qu'un flacon de vinaigre ; tu as voulu me prouver que j'avais menti une fois dans ma vie ; cela est possible, mais je te trouve hardie de décider à quel instant. Viens, aide-moi à secourir Rosette.

Ils sortent.

SCENE VII

Entrent LE BARON *et* CAMILLE.

LE BARON.— Si cela se fait, je deviendrai fou.

CAMILLE.— Employez votre autorité.

LE BARON.— Je deviendrai fou, et je refuserai mon consentement, voilà qui est certain.

CAMILLE.— Vous devriez lui parler, et lui faire entendre raison.

LE BARON.— Cela me jettera dans le désespoir pour tout le carnaval, et je ne paraîtrai pas une fois à la cour. C'est un mariage disproportionné. Jamais on n'a entendu parler d'épouser la sœur de lait de sa cousine ; cela passe toute espèce de bornes.

CAMILLE.— Faites-le appeler, et dites-lui nettement que ce mariage vous déplaît. Croyez-moi, c'est une folie, il ne résistera pas.

LE BARON.— Je serai vêtu de noir cet hiver, tenez-le pour assuré.

CAMILLE.— Mais parlez-lui, au nom du ciel. C'est un coup de tête qu'il a fait ; peut-être n'est-il déjà plus temps ; s'il en a parlé, il le fera.

LE BARON.— Je vais m'enfermer pour m'abandonner à ma douleur. Dites-lui, s'il me demande, que je suis enfermé, et que je m'abandonne à ma douleur de le voir épouser une fille sans nom.

Il sort.

CAMILLE.— Ne trouverai-je pas ici un homme de cœur ? En vérité, quand on en cherche, on est effrayé de sa solitude.

Entre Perdican.

Eh bien ! cousin, à quand le mariage ?

PERDICAN.— Le plus tôt possible ; j'ai déjà parlé au notaire, au curé, et à tous les paysans.

CAMILLE.— Vous comptez donc réellement que vous épouserez Rosette ?

PERDICAN.— Assurément.

CAMILLE.— Qu'en dira votre père ?

PERDICAN.— Tout ce qu'il voudra ; il me plaît d'épouser cette fille ; c'est une idée que je vous dois, et je m'y tiens. Faut-il vous répéter les lieux communs les plus rebattus sur sa naissance et sur la mienne ? Elle est jeune et jolie, et elle m'aime. C'est plus qu'il n'en faut pour être trois fois heureux. Qu'elle ait de l'esprit ou qu'elle n'en ait pas, j'aurais pu trouver pire. On criera et on raillera ; je m'en lave les mains.

CAMILLE.— Il n'y a rien là de risible ; vous faites très bien de l'épouser. Mais je suis fâchée pour vous d'une chose : c'est qu'on dira que vous l'avez fait par dépit.

PERDICAN.– Vous êtes fâchée de cela ? Oh ! que non.

CAMILLE.– Si, j'en suis vraiment fâchée pour vous. Cela fait du tort à un jeune homme, de ne pouvoir résister à un moment de dépit.

PERDICAN.– Soyez-en donc fâchée ; quant à moi, cela m'est bien égal.

CAMILLE.– Mais vous n'y pensez pas ; c'est une fille de rien.

PERDICAN.– Elle sera donc de quelque chose, lorsqu'elle sera ma femme.

CAMILLE.– Elle vous ennuiera avant que le notaire ait mis son habit neuf et ses souliers pour venir ici ; le cœur vous lèvera au repas de noces, et le soir de la fête, vous lui ferez couper les mains et les pieds, comme dans les contes arabes, parce qu'elle sentira le ragoût.

PERDICAN.– Vous verrez que non. Vous ne me connaissez pas ; quand une femme est douce et sensible, franche, bonne et belle, je suis capable de me contenter de cela, oui, en vérité, jusqu'à ne pas me soucier de savoir si elle parle latin.

CAMILLE.– Il est à regretter qu'on ait dépensé tant d'argent pour vous l'apprendre ; c'est trois mille écus de perdus.

PERDICAN.– Oui, on aurait mieux fait de les donner aux pauvres.

CAMILLE.– Ce sera vous qui vous en chargerez, du moins pour les pauvres d'esprit.

PERDICAN.– Et ils me donneront en échange le royaume des cieux, car il est à eux.

CAMILLE.– Combien de temps durera cette plaisanterie ?

PERDICAN.– Quelle plaisanterie ?

CAMILLE.– Votre mariage avec Rosette.

PERDICAN.– Bien peu de temps ; Dieu n'a pas fait de l'homme une œuvre de durée : trente ou quarante ans, tout au plus.

CAMILLE.– Je suis curieuse de danser à vos noces !

PERDICAN.– Écoutez-moi, Camille, voilà un ton de persiflage qui est hors de propos.

CAMILLE.– Il me plaît trop pour que je le quitte.

PERDICAN.– Je vous quitte donc vous-même, car j'en ai tout à l'heure assez.

CAMILLE.– Allez-vous chez votre épousée ?

PERDICAN.– Oui, j'y vais de ce pas.

CAMILLE.– Donnez-moi donc le bras ; j'y vais aussi.

Entre Rosette.

PERDICAN.– Te voilà, mon enfant ? Viens, je veux te présenter à mon père.

ROSETTE, *se mettant à genoux.*– Monseigneur, je viens vous demander une grâce. Tous les gens du village à qui j'ai parlé ce matin m'ont dit que vous aimiez votre cousine, et que vous ne m'avez fait la cour que pour vous divertir tous deux ; on se moque de moi quand je passe, et je ne pourrai plus trouver de mari dans le pays, après avoir servi de risée à tout le monde. Permettez-moi de vous rendre le collier que vous m'avez donné, et de vivre en paix chez ma mère.

CAMILLE.– Tu es une bonne fille, Rosette ; garde ce collier, c'est moi qui te le donne, et mon cousin prendra le mien à la place. Quant à un mari, n'en sois pas embarrassée, je me charge de t'en trouver un.

PERDICAN.– Cela n'est pas difficile, en effet. Allons, Rosette, viens, que je te mène à mon père.

CAMILLE.– Pourquoi ? Cela est inutile.

PERDICAN.– Oui, vous avez raison, mon père nous recevrait mal ; il faut laisser passer le premier moment de surprise qu'il a éprouvée. Viens avec moi, nous retournerons sur la place. Je trouve plaisant qu'on dise que je ne t'aime pas quand je t'épouse. Pardieu ! nous les ferons bien taire.

Il sort avec Rosette.

CAMILLE.– Que se passe-t-il donc en moi ? Il l'emmène d'un air bien tranquille. Cela est singulier ; il me semble que la tête me tourne. Est-ce qu'il l'épouserait tout de bon ? Holà ! dame Pluche, dame Pluche ! N'y a-t-il donc personne ici ?

Entre un valet.

Courez après le seigneur Perdican ; dites-lui vite qu'il remonte ici, j'ai à lui parler.

Le valet sort.

Mais qu'est-ce donc que tout cela ? Je n'en puis plus, mes pieds refusent de me soutenir.

Rentre Perdican.

PERDICAN.– Vous m'avez demandé, Camille ?

CAMILLE.– Non, – non.

PERDICAN.– En vérité, vous voilà pâle ; qu'avez-vous à me dire ? Vous m'avez fait rappeler pour me parler.

CAMILLE.– Non, non. – O ! Seigneur Dieu !

Elle sort.

104

SCENE VIII

Un oratoire.

Entre CAMILLE ; *elle se jette au pied de l'autel.* – M'avez-vous abandonnée, ô mon Dieu ? Vous le savez, lorsque je suis venue, j'avais juré de vous être fidèle ; quand j'ai refusé de devenir l'épouse d'un autre que vous, j'ai cru parler sincèrement, devant vous et ma conscience ; vous le savez, mon père, ne voulez-vous donc plus de moi ? Oh ! pourquoi faites-vous mentir la vérité elle-même ? Pourquoi suis-je si faible ? Ah, malheureuse, je ne puis plus prier.

Entre Perdican.

PERDICAN. – Orgueil, le plus fatal des conseillers humains, qu'es-tu venu faire entre cette fille et moi ? La voilà pâle et effrayée, qui presse sur les dalles insensibles son cœur et son visage. Elle aurait pu m'aimer, et nous étions nés l'un pour l'autre ; qu'es-tu venu faire sur nos lèvres, orgueil, lorsque nos mains allaient se joindre ?

CAMILLE. – Qui m'a suivie ? Qui parle sous cette voûte ? Est-ce toi, Perdican ?

PERDICAN. – Insensés que nous sommes ! nous nous aimons. Quel songe avons-nous fait, Camille ? Quelles vaines paroles, quelles misérables folies ont passé comme un vent funeste entre nous deux ? Lequel de nous a voulu tromper l'autre ? Hélas ! cette vie est elle-même un si pénible rêve : pourquoi encore y mêler les nôtres ? O mon Dieu, le bonheur est une perle si rare dans cet océan d'ici-bas ! Tu nous l'avais donné, pêcheur céleste, tu l'avais tiré

105

pour nous des profondeurs de l'abîme, cet inesti-
mable joyau ; et nous, comme des enfants gâtés
que nous sommes, nous en avons fait un jouet ; le
vert sentier qui nous amenait l'un vers l'autre avait
une pente si douce, il était entouré de buissons si
fleuris, il se perdait dans un si tranquille horizon !
Il a bien fallu que la vanité, le bavardage et la colère vinssent jeter leurs rochers informes sur cette
route céleste, qui nous aurait conduits à toi dans
un baiser ! Il a bien fallu que nous nous fissions du
mal, car nous sommes des hommes. O insensés !
nous nous aimons.

Il la prend dans ses bras.

CAMILLE.– Oui, nous nous aimons, Perdican ;
laisse-moi le sentir sur ton cœur. Ce Dieu qui nous
regarde ne s'en offensera pas ; il veut bien que je
t'aime ; il y a quinze ans qu'il le sait.
PERDICAN.– Chère créature, tu es à moi !

*Il l'embrasse ; on entend un grand cri derrière
l'autel.*

CAMILLE.– C'est la voix de ma sœur de lait.
PERDICAN.– Comment est-elle ici ! Je l'avais
laissée dans l'escalier, lorsque tu m'as fait rappeler.
Il faut donc qu'elle m'ait suivi, sans que je m'en
sois aperçu.
CAMILLE.– Entrons dans cette galerie ; c'est
là qu'on a crié.
PERDICAN.– Je ne sais ce que j'éprouve ; il
me semble que mes mains sont couvertes de sang.
CAMILLE.– La pauvre enfant nous a sans doute épiés ; elle s'est encore évanouie ; viens, portons-
lui secours ; hélas ! tout cela est cruel.

PERDICAN.— Non, en vérité, je n'entrerai pas ; je sens un froid mortel qui me paralyse. Vas-y, Camille, et tâche de la ramener.

Camille sort.

Je vous en supplie, mon Dieu ! ne faites pas de moi un meurtrier ! Vous voyez ce qui se passe ; nous sommes deux enfants insensés, et nous avons joué avec la vie et la mort ; mais notre cœur est pur ; ne tuez pas Rosette, Dieu juste ! Je lui trouverai un mari, je réparerai ma faute ; elle est jeune, elle sera riche, elle sera heureuse ; ne faites pas cela, ô Dieu, vous pouvez bénir encore quatre de vos enfants. Eh bien ! Camille, qu'y a-t-il ?

Camille rentre.

CAMILLE.— Elle est morte. Adieu, Perdican.

ÉTUDE DU TEXTE

STRUCTURE GÉNÉRALE

Une revue analytique de la pièce, acte par acte et scène par scène, aidera à en saisir l'économie d'ensemble et à définir le rôle des divers éléments dont elle se compose.

ACTE PREMIER

SCENE I
Une place devant le château.

Un chœur de paysans accueille successivement maître Blazius, le bedonnant précepteur de Perdican, et l'osseuse dame Pluche, gouvernante de Camille : ces deux personnages annoncent, à tour de rôle, la prochaine arrivée des deux jeunes gens.

SCENE II
Le salon du baron.

Le baron s'entretient avec maître Bridaine, le curé du village, et avec maître Blazius : il les instruit du projet qu'il a conçu de marier son fils, Perdican, à sa nièce, Camille. Au cours de la scène, dame Pluche est venue confirmer le retour au château de Camille.

Les deux jeunes gens arrivent en même temps. Camille oppose beaucoup de froideur à l'élan de son cousin. Le baron est consterné et confie son désappointement à Bridaine.

111

SCENE III
Devant le château.

En un monologue, le chœur décrit, tels qu'il les imagine, Bridaine et Blazius en rivalité ouverte à la table du baron. Puis le baron témoigne à dame Pluche de la peine où l'a plongé le désaccord apparent des deux cousins.

Camille et Perdican reparaissent : ce désaccord se confirme. Camille est insensible aux souvenirs d'enfance qu'évoque Perdican à son intention. Nouvelles lamentations du baron qui, avec dame Pluche, assiste caché à l'entretien.

SCENE IV
Une place.

Perdican évoque avec le Chœur le temps d'autrefois. Soudain, il aperçoit Rosette, sœur de lait de Camille ; comme par jeu, il l'embrasse et l'emmène souper au château.

SCENE V
Une salle.

Blazius déclare au baron que Bridaine est un ivrogne ; Bridaine lui apprend que son fils se promène au bras d'une jeune paysanne. Désespoir comique du baron.

Cette analyse fait ressortir nettement la coexistence de trois groupes dramatiques : un chœur de villageois ; quatre personnages diversement plaisants, tous quatre d'un certain âge, et que nous désignons par le terme de « fantoches » ; trois jeunes gens, manifestement appelés aux premiers rôles. Or, au cours du premier acte, le Chœur et les quatre fantoches ont tenu la plus grande place : le Chœur est intervenu trois fois ; le baron a tenté de mener le jeu et a pris à témoin les trois autres fantoches de sa déconvenue. Les protagonistes, eux, s'expriment assez peu : Camille et Perdican ont ensemble deux scènes très brèves, la première en présence du baron et de ses deux séides Bridaine et Blazius, la seconde seuls ou se croyant seuls, mais dans chacune des deux scènes l'extrême réserve de Camille glace les bonnes dispositions de Perdican ; puis Perdican a une scène, non moins brève, avec Rosette et, par dépit, commence à lui faire la cour. Un conflit sentimental s'ébauche, mais comme à l'arrière-plan ; le rideau, qui s'est levé sur un dialogue comique et hors de la présence des protagonistes, retombe de même : la bouffonnerie paraît, pour un temps, l'emporter.

ACTE II

SCENE I
Un jardin.

Après un bref échange de propos entre Perdican et son gouverneur Blazius, qui se retire bientôt, Camille arrive : c'est pour annoncer à Perdican son prochain départ ; puis, après la sortie de Perdican, elle charge dame Pluche de lui faire parvenir un billet.

SCENE II
La salle à manger.

Monologue de Bridaine, désespéré à la pensée que Blazius occupera la place d'honneur à table et résolu à regagner sa cure.

SCENE III
Un champ devant une petite maison.

Perdican accentue son jeu avec Rosette et elle lui reproche de trop l'embrasser.

SCENE IV
Au château.

Blazius révèle au baron qu'il a surpris Camille en dispute avec dame Pluche et que sa nièce a une correspondance secrète avec un homme qui fait la cour à une gardeuse de dindons. Stupéfaction du baron.

SCENE V
Une fontaine dans un bois.

Longue conversation entre Camille et Perdican, qui s'est rendu au rendez-vous fixé par le billet. Elle lui explique pourquoi elle a décidé de renoncer au monde.

Dans l'économie des éléments dramatiques, une constatation s'impose : ils sont ramenés, pour cet acte, de trois à deux ; le Chœur, qui a joué un rôle essentiel dans l'exposition, disparaît. Les fantoches, en revanche, ne tiennent guère moins de place qu'à l'acte premier ; Bridaine a même les honneurs d'une scène pour lui seul et son monologue est comme une réponse à celui du Chœur, qui, au premier acte, se plaisait à imaginer la rivalité à table des deux ecclésiastiques ; c'est ici l'un des deux rivaux qui parle, et qui justifie ainsi l'attente du Chœur.

Au cours des quatre premières scènes, où la matière se distribue à peu près également entre les fantoches et les protagonistes, il y a eu un nouveau dialogue entre Perdican et Camille, un nouveau dialogue entre Perdican et Rosette ; ces deux dialogues sont orientés dans le même sens que ceux du premier acte : un malentendu s'accentue, une trouble idylle s'ébauche ; l'action ne progresse guère. Puis les fantoches disparaissent et se laissent oublier, tant est considérable l'effet de la scène V où Camille et Perdican engagent une discussion de fond : cette scène, à elle seule, est plus longue que tout le reste de l'acte et représente plus d'un sixième de la pièce entière ; le lecteur ou le spectateur se sent introduit au cœur du drame ; l'entretien est le noyau de l'œuvre ; l'éloquence, la passion qui s'y expriment accaparent toute notre attention et concentrent tout notre intérêt.

ACTE III

SCENE I
Devant le château.

Le baron reproche à Blazius de lui avoir fait un faux rapport en accusant sa nièce et il le chasse. Lorsqu'ils sont sortis, Perdican entre et monologue. Encore bouleversé de sa discussion véhémente avec Camille, il tâche de savoir où il en est de ses sentiments, et n'y parvient pas.

SCENE II
Un chemin.

Bridaine, à son tour, monologue et, comme à l'acte II, gémit sur son sort ; il songe avec nostalgie à la vie de château, dont il s'est éloigné par amour-propre ; Blazius, lui-même tout déconfit, le rencontre et le supplie d'intercéder en sa faveur ; Bridaine lui oppose un refus hautain. Passe dame Pluche, qui porte une lettre de Camille ; Blazius veut la lui prendre. Perdican survient, se fait remettre la lettre et, non sans quelque scrupule, finit par l'ouvrir. Cette lettre est adressée à une amie de couvent : Camille s'y flatte de laisser, en partant, son cousin au désespoir. Perdican, piqué au vif, décide de riposter : il adresse un billet de rendez-vous à Camille, mais il amène avec lui Rosette et se dispose à lui faire la cour devant Camille elle-même.

SCENE III
Le petit bois.

Camille reçoit le billet et va à l'endroit fixé pour le rendez-vous, qui est la fontaine du deuxième acte. Elle voit Perdican qui y arrive avec Rosette et elle se cache. Perdican devine qu'elle est là et joue son jeu cruel : il déclare à Rosette qu'il l'aime.

SCENE IV
Entre le Chœur.

Le Chœur fait le point d'une situation qui l'inquiète, puis apostrophe dame Pluche, qui prend des dispositions pour le départ. Mais Camille ne veut plus partir et en avise rudement sa gouvernante, en présence du Chœur intrigué.

SCENE V
Entrent le Baron et maître Bridaine.

Bridaine dénonce au baron les attentions, qu'il a surprises, de Perdican pour Rosette. Le baron en est tout éberlué.

SCENE VI
La chambre de Camille.

Camille fait mander Perdican par dame Pluche, puis invite Rosette à se placer derrière une tapisserie ; par une manœuvre analogue à celle dont Perdican a usé envers elle, elle va amener Perdican à lui déclarer son amour en présence de Rosette cachée. Puis elle lève la tapisserie et découvre Rosette évanouie : Perdican est confondu. Camille le somme d'épouser Rosette, s'il n'est pas un lâche ; Perdican furieux s'y déclare prêt.

SCENE VII
Entrent le baron et Camille.

Camille, prise à son propre piège, s'apprête à se défendre. Elle demande à son oncle le baron de s'opposer à la mésalliance de son cousin. Puis elle s'en prend à Perdican lui-même et se moque de lui. Il s'entête dans sa résolution. Camille est bouleversée, fait rappeler son cousin, mais quand il est là, elle ne peut se résoudre à lui livrer le fond de son cœur.

SCENE VIII
Un oratoire.

Camille s'adresse désespérément à Dieu. Perdican revient à elle, la trouve en plein désarroi, lui reproche son orgueil, la force à reconnaître qu'ils éprouvent l'un pour l'autre un amour mutuel. Au moment où elle lui cède et où il l'embrasse, on entend un grand cri derrière l'autel ; Rosette était là ; l'émotion l'a tuée. Camille dit adieu à Perdican.

Dans ce dernier acte, la distribution entre les éléments plaisants et les éléments sérieux est la même qu'à l'acte II : les fantoches interviennent seulement dans la première moitié ; puis ils s'effacent devant les protagonistes et nul dès lors ne songe plus à eux. Quant au Chœur, il reparaît une fois, au moment crucial où l'aventure commence à tourner en tragédie et comme pour prendre conscience de ce tournant. Le dosage du comique et du tragique est inégal : les éléments tragiques l'emportent, et de loin. La pièce a débuté de façon bouffonne ; peu à peu le climat s'est alourdi, la situation s'est tendue, jusqu'à l'éclatement final.

L'invasion du drame est sensible, dans ce troisième acte, où, brusquement, les péripéties se succèdent, non sans artifices scéniques et procédés de convention (lettre interceptée, personnages cachés). Ce mouvement se précipite et contraste avec la lenteur relative des deux premiers actes, où il ne se passait pas grand-chose et où les ressorts psychologiques se bandaient peu à peu ; d'où la complexité croissante des situations. Le propre des pièces réussies est d'amener progressivement le spectateur au paroxysme de l'émotion : ici, l'action s'est déroulée dans un climat d'abord aimable, puis indécis, avant de basculer dans la catastrophe ; en même temps, elle s'est dépouillée des éléments de pittoresque extérieur dont elle s'agrémentait, pour se circonscrire à un affrontement impitoyable.

Cette intériorisation progressive est sensible jusque dans le choix des décors. Dans les deux premiers actes, nous sommes promenés partout où se manifeste la vie publique du village et de ses châtelains : chaque scène entraîne un changement de lieu ; chacune des dix scènes des deux premiers actes se déroule en un lieu différent (une place, un salon, une salle à manger, etc.). Au dernier acte, plusieurs décors reparaissent (devant le château, le petit bois...), comme si le dramaturge se souciait moins de piquer l'attention du spectateur, désormais pris par le jeu des passions et des sentiments ; plusieurs scènes se déroulent dans le même décor ; le découpage devient moins systématique. Surtout, le décor, vers la fin de la pièce, devient plus intime, puis plus solennel : la chambre de Camille, un oratoire. La montée de l'émotion tragique est rendue plus sensible, dans un cadre propre à en favoriser l'expression intense et nue.

LES ÉLÉMENTS DU DRAME

LE CHŒUR

Musset a déjà imaginé un chœur dramatique, associé à l'action, dialoguant même avec le héros, dans *La Coupe et les Lèvres*, et aussi dans l'ébauche en vers qui mettait en scène un personnage nommé Perdican (1) ; mais il n'a recueilli ni cette œuvre, ni, bien entendu, cette ébauche dans son théâtre. En fait, *On ne badine pas avec l'amour*, parmi les *Comédies et Proverbes*, est la seule pièce qui comporte un tel élément scénique.

Notre étude de sources a montré que l'usage du Chœur était courant dans le théâtre de l'époque et même qu'une pièce de Scribe, analogue à *On ne badine pas avec l'amour* dans quelques-unes de ses données, comportait un chœur de villageois. Mais dans le théâtre du temps, comme plus tard dans certaines comédies-vaudevilles de Labiche ou de ses contemporains, le chœur n'a aucune consistance psychologique, aucune utilité dramatique ; il ne prononce que des paroles anodines ; il fait partie du décor, dont il constitue, si l'on peut ainsi s'exprimer, un élément animé ; son rôle, tout externe, est analogue à celui que peuvent jouer des ritournelles d'orchestre : un rôle d'ornement et d'intermède.

---

(1) Voir notre édition des *Caprices de Marianne*, p.17, et ci-dessus, p.11.

La grande originalité de Musset est d'avoir fait du Chœur, dans *On ne badine pas avec l'amour*, un véritable personnage collectif, la conscience du village. Le langage de ce personnage collectif est naturellement dépourvu de toute vraisemblance : des paysans ne sauraient s'exprimer avec cette rigueur si continuellement présente jusque dans la verve et la fantaisie, ni avec ce bonheur continuel de métaphores où s'exprime le génie de Musset. Mais les conventions verbales n'empêchent aucunement ce Chœur d'exister et de témoigner.

Les villageois et les villageoises dont se compose le Chœur ont tous connu Camille et Perdican avant leur départ pour le couvent ou pour l'université. Ainsi le Chœur est-il l'instrument idéal pour fournir au lecteur ou au spectateur les données dont il a besoin. Le Chœur est là, d'emblée, pour présenter maître Blazius et dame Pluche, qui, interpellés par lui, se chargent, l'un après l'autre, d'apporter quelques informations indispensables ; puis pour désigner Rosette à Perdican et, en même temps, aux spectateurs.

Son rôle, pourtant, ne se borne pas à cette utilité. Face aux divers personnages qu'il connaît si bien, le Chœur manifeste sa propre présence, réagit, exprime des sentiments. Blazius et Bridaine, dont l'agitation brouillonne est inoffensive, ne font que l'amuser ; il les observe, il commente leurs manies, leurs obsessions, il souligne leur pittoresque et prend à leur égard cette distance plaisante qui est le propre de l'humour. Dame Pluche lui apparaît tout aussi ridicule, mais peut-être plus inquiétante, dans la mesure où Camille est entre ses mains ; sa pruderie, son rigorisme lui sont antipathiques ; la raillerie qu'il exerce à son adresse est agressive et corrosive, notamment à l'acte III. Toute sa sympathie va, au contraire, à la jeunesse incarnée par Perdican. A l'égard de Perdican, sa sensibilité s'épanche en accents qui ne manquent pas de profondeur : « Puissions-nous retrouver l'enfant dans le cœur de l'homme » ; « Seigneur, vous ressemblez à un enfant que nous avons beaucoup aimé ». En rappelant, par deux fois, cette image de l'enfant, le Chœur contribue à donner au drame une dimension supplémentaire, qui est celle du temps ; il associe le présent au passé ; il redoute que des années d'adolescence inquiète ou tourmentée aient compromis l'élan, la fraîcheur, la confiance irremplaçable de l'enfance. Tout le drame est là, en effet, dont il est appelé à devenir le témoin lucide et anxieux.

D'où la gravité sobre avec laquelle il commente le progrès des événements, à l'acte III : « Il se passe assurément quelque chose d'étrange au château ; Camille a refusé d'épouser Perdican ; elle doit retourner aujourd'hui au couvent dont elle est venue. Mais je crois que le seigneur son cousin s'est consolé avec Rosette. Hélas ! la pauvre fille ne sait pas quel danger elle court en écoutant les discours d'un jeune et galant seigneur ». A cet instant, le Chœur s'élève à une dignité de langage et à une qualité de sagesse qui, tout en conservant une saveur propre, peuvent rappeler celles des chœurs tragiques du théâtre grec.

On a parfois distribué le rôle assigné au Chœur entre plusieurs acteurs, pour souligner le caractère collectif de son existence, au risque de briser le rythme et le mouvement de ses interventions. Le meilleur usage nous paraît être de faire prononcer tout ce texte par un coryphée unique. Ainsi le Chœur prend-il sa valeur de personnage : un personnage marginal, qui n'intervient pas dans l'action, qui la commente dans l'esprit même où son créateur peut la juger, qui sert d'intermédiaire entre les acteurs et les spectateurs ; mais un personnage consistant et vivant.

LES FANTOCHES

Les fantoches de Musset, et en particulier ceux de *On ne badine pas avec l'amour*, ont été étudiés par M. Robert Mauzi dans un article remarquable (1), auquel nous emprunterons diverses suggestions et quelques formules.

---

(1) « Les Fantoches de Musset », dans la *Revue d'Histoire littéraire de la France*, avril-juin 1966.

Le mot « fantoche » dérive de l'italien *fantoccio*, poupée, et désigne, à l'origine, une marionnette articulée que l'on meut à l'aide de fils. On applique ce terme, dans le langage de la critique dramatique, à des personnages qui n'ont pas de pensée authentique, qui sont commandés, dans leurs attitudes et dans leurs paroles, par les préjugés et les idées reçues d'une société réduite à ses éléments les plus artificiels ou les plus vulgaires. Il y a dans le fantoche, écrit M. Mauzi, « un singulier mélange de conformisme et d'irréalité. Le fantoche donne à la fois l'impression d'être trop déterminé et pourtant vide. Il se trouve entièrement engagé dans une pantomime de la convention et du paraître ».

Le fantoche est donc un être stylisé, qui se prête, pour le dramaturge, à des effets purement mécaniques. Aussi Musset dédouble-t-il volontiers les siens ; il les conçoit à la fois par symétrie et par opposition, comme Bridaine et Blazius, frères ennemis ; comme Blazius et dame Pluche, compère et commère aussi différents que possible dans leurs apparences physiques et dans leurs goûts, mais équilibrés dans leurs particularités pittoresques au point de se faire pendant. Aussi se plaît-il encore à faire gouverner ses fantoches secondaires par un super-fantoche, comme le baron, d'autant plus dérisoire qu'il prétend s'instituer en meneur de jeu.

Les fantoches, ainsi réduits à une existence tout extérieure, peuvent, en effet, figurer, quoique ridicules, dans la vie sociale. Ce ne sont nullement des épaves, des parias. Ils exercent une fonction. Ils occupent une place. Ils s'opposent en cela aux héros, qui (comme ceux des tragédies raciniennes) n'ont, chez Musset, rien d'autre à faire que s'abandonner aux riches virtualités de leur vie intérieure. Fantasio fait observer à Spark qu'il n'a pas de métier ; mais Perdican n'en a pas non plus, quoiqu'il soit pourvu d'un titre. Le baron, cependant, est seigneur de son village et receveur ; Bridaine est curé ; Blazius est précepteur ; dame Pluche est gouvernante. Ils prennent au sérieux ce métier, ou du moins les dignités et prérogatives qui s'y attachent. Quand le baron s'enferme dans son cabinet, on le sent imbu de son importance et persuadé de la valeur des décisions qu'il va prendre.

Mais tout cela n'est qu'apparence. Au point de vue psychologique, les fantoches n'existent pas : ils n'ont ni âme ni conscience. Aussi ne sauraient-ils communiquer avec autrui. Ils ne comprennent rien à rien ni à personne. Ils s'abîment dans la solitude monstrueuse d'un égocentrisme ingénu. Ils obéissent à une idée fixe qu'ils n'ont même pas le mérite d'avoir conçue. Le baron a l'obsession du protocole (comme Irus celle de l'élégance, dans *A quoi rêvent les jeunes filles*) : sa manie s'attache à l'usage, à l'exactitude, à l'arrangement. Dame Pluche a l'obsession de la vertu (comme la gouvernante d'Elsbeth a celle du romanesque, dans *Fantasio*) ; mais c'est une vertu de convention, réglée par les préjugés de la société et par les commandements de l'Église. Quant à Blazius et Bridaine, ils sont gouvernés, dans la grossièreté de leur nature, par la poussée animale de l'instinct qui les voue à la goinfrerie et à l'ivrognerie. Aucun des quatre ne réfléchit ni ne sent ; à peine ont-ils des réactions élémentaires d'égoïsme et de vanité ; le baron lui-même, quoique d'apparence bienveillante, est incapable de vraie tendresse paternelle.

Étant dépourvus de vie intérieure, ces personnages ne sauraient avoir de langage original. Ils procèdent par associations mécaniques, se nourrissent de lieux communs, de poncifs, de clichés. Inaptes à tout raisonnement suivi, ils ne choisissent pas leurs mots ; ils les empruntent. « Je m'abandonne à ma douleur », dit le baron (dont la prétendue douleur n'est, en fait, que puérile contrariété) ; ou encore, à propos des femmes : « Je connais ces êtres charmants et indéfinissables » ; mais il serait bien en peine de justifier par quelque observation concrète et fine l'usage de tels adjectifs. Le même personnage a d'ailleurs la manie du terme à la fois vague et négatif, qui trahit son impuissance à comprendre : « cela est *insolite* ..., cela est *inouï*..., c'est *absurde*..., cela est *monstrueux* ». De même, dame Pluche a des clichés de prude ; Blazius et Bridaine ont des clichés de gourmands. Cette pauvreté d'expression est à l'image de leur néant.

Dans ces conditions, on ne saurait attendre des fantoches aucune action intelligente sur le cours des événements. Leur vocation est de s'agiter en vain, d'être humiliés et bernés. L'exemple le plus typique à cet égard est celui du baron. Il passe son temps à prévoir, à préparer. Mais ses plans se heurtent à une réalité qu'il est incapable de concevoir. Il échoue donc et, n'ayant pas la ressource de s'interroger sur les raisons de l'échec, ne manifeste son désarroi qu'en criant au scandale ou en se retirant dans son cabinet. Non moins plaisant est le dépit de Blazius et de Bridaine qui, au milieu de leurs ennuis, se réfugient dans les protestations les plus dérisoirement emphatiques : « O sainte Église catholique », «ô sainte Université de Paris», comme s'ils identifiaient leur défaite à celle du corps tout entier dont ils sont de si médiocres représentants. Dans tout le théâtre de Musset, cet échec du fantoche, lié à la sottise de ses projets, ne comporte qu'une exception, celle de Claudio, dans *Les Caprices de Marianne*, car son projet « d'épouvantable trame » réussit, quoique, au départ, absurde et gratuit comme tous ceux des gens de son espèce ; le fantoche, alors, devient un assassin. Rien de tel dans *On ne badine pas avec l'amour* : les petites méchancetés de Blazius, de Bridaine, de dame Pluche, leurs insinuations sournoises, leurs mouchardages maladroits, ne sont guère efficaces, même s'ils concourent à brouiller le jeu. Les protagonistes se chargent de secréter leur propre malheur ; entre eux et les fantoches, il n'existe, en fait, aucune interaction, aucune interférence ; les deux mondes sont séparés.

LES PROTAGONISTES

Parmi les trois personnages principaux, Rosette joue un rôle d'une importance dramatique considérable. Comme Cœlio dans *Les Caprices de Marianne*, elle est la première et la grande victime, celle dont la mort entraîne le malheur des deux autres. Fraîche, ignorante, ingénue, elle est prête à aimer avec l'ardeur d'une jeune fille de son âge ; en même temps, elle est raisonnable, consciente de la barrière sociale

qui la sépare de Perdican, effrayée au début de ses préve-
nances et de sa galanterie. Mais, progressivement, elle est
troublée, conquise, prise au piège et, dès lors, entraînée
dans une aventure fatale à laquelle rien ne la prédisposait :
la fatalité tragique, sans épargner les coupables, s'abat tout
aussi implacablement sur les innocents. Pas plus que Cœlio,
cependant, Rosette ne participe aux affrontements essentiels. Elle est entre les mains de Perdican, puis de Camille,
qui font d'elle leur jouet ou leur instrument.

Entre ces deux personnages se livre un duel de caractères, analysé sous ce titre par Jean Pommier dans son volume
Variétés sur Alfred de Musset et sur son théâtre :

A l'acte I, Camille apparaît telle que l'éducation du
couvent l'a faite : en garde contre son cousin, puis contre la
campagne, en un mot contre la nature. Elle s'arrange de manière à n'avoir jamais *tu* ou *vous* à dire à Perdican, qui la
tutoie. Le premier choc des deux amours-propres a lieu très
tôt : Camille ne voulant ni lui serrer la main ni l'embrasser,
Perdican cesse ses compliments, et il insinue qu'il n'a pas de
l'amour pour elle, mais seulement de l'amitié. — Le lendemain matin, la jeune fille n'est rien moins qu'évasive : « parlons sérieusement ». Comme elle dit *vous* à son cousin, et
qu'il prévoit un refus, il répond sur le même ton : « Tant pis
pour moi si je *vous* déplais » : seconde passe d'armes. Mais
elle explique qu'elle ne veut pas se marier : il s'incline, et
c'est à quoi la belle Camille ne s'attendait pas. Son dépit de
coquetterie perce dans sa remarque : « Je suis bien aise que
mon refus vous soit indifférent ». Elle cherche à le pousser
à bout : comme il l'a priée de rester, elle se dit irrévocablement décidée au départ, pour un motif mystérieux. Cette
déclaration même n'ayant pas d'effet, et Perdican s'étant
éloigné, Camille voit son plaisir d'orgueil lui échapper. Il
faut à tout prix recommencer : de là le billet qu'elle envoie,
et la scène de la fontaine.

Si juste et si fine que soit l'analyse psychologique de
Musset dans les scènes ainsi analysées, elle ne présente pas,
en somme, une très grande originalité. Marivaux, avant lui, a

démonté les mécanismes de l'amour-propre, de l'orgueil, de la coquetterie féminine ; il a décrit, selon des schémas semblables, la défense opposée par les jeunes filles à l'égard des soupirants dont la sincérité ne leur apparaît pas de prime abord évidente. Des mécanismes de nature analogue jouent à l'acte III.

Il faut souligner, au contraire, la qualité particulière de la scène dite de la fontaine (acte II, scène V), que seul pouvait concevoir Musset. Il y a mis toute son expérience, toute sa réflexion, tout son génie dramatique. N'y cherchons pas cette subtilité suivie et filée d'une réplique à une autre qui constitue l'essentiel du marivaudage. On peut distinguer sans trop d'artifice les grands mouvements dont elle se compose.

De « *Bonjour, cousin* » jusqu'à « *d'un monastère de femmes ?* » (p. 72 à 75).

Après quelques répliques d'entrée en matière (« Bonjour, cousin, j'ai cru m'apercevoir, à tort ou à raison, que vous me quittiez tristement ce matin [...] etc. »), Camille pose une première question, brutale et simple, qui d'emblée nous introduit au centre du débat : « Trouvez-vous que j'ai raison de me faire religieuse ? ». Cette question sera suivie de beaucoup d'autres, véhémentes, pressées, ordonnées selon une dialectique à la fois passionnée et serrée (« Dites-moi, avez-vous eu des maîtresses ? [...] Les avez-vous aimées ? [...] Où sont-elles maintenant ? Le savez-vous ? »), où se résume une réflexion de plusieurs années, où se manifeste une résolution indéracinable. Cette dialectique interrogative pourrait se résumer en une suite d'affirmations qui, pour Camille, sont d'avance autant de certitudes : Perdican a déjà eu des maîtresses, il les a aimées, il les a abandonnées, ainsi font sans doute tous les hommes ; dès lors, si une jeune fille se fie à l'un d'eux, la voilà perdue, vouée au désespoir de la solitude ou à de nouvelles tentatives non moins désespérées. Ces certitudes implicites, Perdican ne peut ni ne veut essayer de les combattre directement ; ses réponses sont celles que Camille attend, qu'elle était trop sûre d'entendre et qui la justifient d'avance du parti qu'elle a pris. Ce premier mouvement s'achève par une dernière et double interrogation, qui, en fait, marque un tournant du dialogue en introduisant un thème nouveau : « Savez-vous ce que c'est que les cloîtres, Perdican ? Vous êtes-vous jamais assis un jour entier sur le banc d'un monastère de femmes ? »

De « Oui, je m'y suis assis » jusqu'à « triste à mourir. » (p.75 à 80).

Dans un second mouvement, Camille, ayant épuisé son questionnaire passionné, garde l'initiative, mais modifie le rythme de la conversation. Elle parle davantage, et même longuement. Elle ne fait plus appel à l'expérience de Perdican ; elle invoque la sienne et développe les leçons reçues au couvent : « J'ai pour amie une sœur qui n'a que trente ans [...] etc. ». Perdican, de temps en temps, laisse entrevoir sa propre conception de la vie, mais sans continuité et presque sans force, en homme qui croit vain de lutter contre une obstination solide comme un mur. Quelques-unes de ses brèves répliques sont certes pleines de sens : « Cet amant-là [le Christ] n'exclut pas les autres », « Tu es une orgueilleuse ; prends garde à toi » ; ou encore, sur un autre plan : « Que tu es belle, Camille, lorsque tes yeux s'animent ». Mais elles sont emportées et noyées dans le flot de paroles qui vient aussitôt les recouvrir. Et Camille arrive au bout de ses propos désenchantés sans que son partenaire ait vraiment accepté la discussion : « O Perdican ! ne raillez pas, tout cela est triste à mourir ».

De « Pauvre enfant » jusqu'à « par mon orgueil et mon ennui. » (p.80 à 83).

Alors commence le dernier mouvement. Perdican a « laissé dire » Camille et daigne maintenant parler à son tour. C'est lui, maintenant, qui pose des questions, sans guère attendre davantage de réponses que Camille tout à l'heure. Ses tirades sont aussi véhémentes que l'étaient celles de Camille ; mais ce n'est pas exactement le ton d'une plaidoirie qui s'attache à convaincre ; c'est plutôt celui d'une profession de foi sans artifice et violente jusqu'au défi. Il sent que le raisonnement ne saurait désarmer les préventions de sa cousine ; s'il dénonce le scandale d'un renoncement à la vie décidé avant même d'avoir vécu, s'il maudit la philosophie des cloîtres pour exalter celle de la nature, s'il oppose au mensonge de l'amour divin la vérité, même éphémère, de l'amour humain, c'est, semble-t-il, sans espoir et comme en jugeant la partie perdue, puisqu'il s'écrie : « Adieu, Camille, retourne à ton couvent » et puisque, sa harangue achevée, il sort sans attendre de réponse.

La beauté proprement dramatique de cette scène tient à la confrontation de deux attitudes inconciliables et aussi solidement enracinées l'une que l'autre. Certes, Musset donne raison à Perdican, mais il prête à Camille une argumentation sans faille. Camille a cette exigence d'absolu, cette intransigeance qui est de son âge et qui se retrouve chez les héroïnes de Jean Anouilh (dans *La Sauvage* ou dans *Antigone*, par exemple). Mais Perdican ne fait pas de concessions, lui non plus ; elles ne s'accorderaient pas avec son caractère ; il n'est pas homme à jurer un amour éternel ; il pense que la passion est une aventure, qu'il faut en prendre le risque et que vivre, c'est cela. Oui, il a eu des maîtresses et il les a aimées, chaque fois, de tout son cœur. S'il épouse Camille, sera-t-elle la dernière femme de sa vie ? Il se garde de le prétendre ; quand elle lui demande : « Que me conseilleriez-vous de faire le jour où je verrais que vous ne m'aimez plus ? », il lui répond : « De prendre un amant » ; et quand elle insiste : « Que ferai-je ensuite le jour où mon amant ne m'aimera plus ? », il réplique : « Tu en prendras un autre ». Rien, dans de telles répliques, n'est fait ni pour convertir ni pour rassurer.

Sans doute arrivera-t-il un moment où Camille va céder, convenir qu'elle aime son cousin depuis toujours et tomber dans ses bras ; mais c'est parce que la lutte l'a épuisée, l'a jetée sans force auprès d'un autel, comme incapable d'agir et incapable même de prier. Pour franchir ce pas, il lui faut oublier en un instant, par faiblesse, ses inquiétudes de jeune fille précocement mûrie, mais sans qu'aucune assurance sur l'avenir soit venue les apaiser. La mort de Rosette est l'accident qui rend l'union impossible au moment où elle allait se consommer. Même si l'accident ne s'était pas produit, pourrait-on affirmer que l'amour de Perdican sera éternel ? La question se pose, pour le moins. La réponse de Musset serait qu'il faut passer outre et vivre passionnément l'heure présente, même si on doit plus tard en souffrir ou en mourir.

LE LANGAGE DRAMATIQUE
(analyse d'un fragment)

Dans un essai récent (1), M. Bernard Masson a commenté en détail un certain nombre de dialogues extraits des comédies appartenant à la grande époque de la création dramatique chez Musset (1833-1836). Sa rigoureuse analyse met en lumière les vertus d'un langage conçu, avant tout, pour séduire des lecteurs isolés, puisque Musset, après l'échec de *La Nuit vénitienne*, avait renoncé à se faire jouer. Mais elle fait apparaître, en même temps, que ce langage, conçu par un dramaturge né, porte en lui tous les éléments nécessaires à une mise en scène efficace.

De la pièce qui nous occupe, M. Masson a retenu, outre la grande scène de la fontaine, la bouleversante séquence finale (acte III, scène VIII). Il montre comment l'expression verbale, dans ses modulations successives, « y est le registre sensible où s'inscrit la vérité mobile des pensées et des sentiments ». Nous nous attacherons, dans la même intention, au premier dialogue entre Camille et Perdican (acte I, scène II). On verra que les gestes, les attitudes, l'action scénique sont esquissés ou suggérés dans le simple énoncé des mots : langage et drame sont consubstantiels.

_____

(1) *Théâtre et Langage*. Essai sur le dialogue dans les comédies de Musset (Minard, 1977).

Nous sommes dans le salon du baron. Il faut imaginer, pour les nécessités de la représentation, deux portes latérales, l'une à gauche, l'autre à droite. Au fond et au milieu, un fauteuil très solennel. Au début de la scène, le baron s'y est installé. Il va donner audience, présider aux entretiens. Avec lui sont entrés maître Bridaine et maître Blazius ; il les présente l'un à l'autre, en termes qui se correspondent. Après la sortie de maître Blazius, dame Pluche vient le saluer à son tour ; elle ne reste que quelques instants. Puis la conversation se poursuit entre le baron et Bridaine. Bridaine s'efface lorsque vont entrer Camille et Perdican ; il reste présent, mais se tient derrière le fauteuil de son seigneur. L'attention des spectateurs pourra ainsi se fixer sur les jeunes gens.

LE BARON.– Bonjour, mes enfants ; bonjour, ma chère Camille, mon cher Perdican ! embrassez-moi, et embrassez-vous.

PERDICAN.– Bonjour, mon père, ma sœur bien-aimée ! Quel bonheur ! que je suis heureux !

CAMILLE.– Mon père et mon cousin, je vous salue.

PERDICAN.– Comme te voilà grande, Camille ! et belle comme le jour !

LE BARON.– Quand as-tu quitté Paris, Perdican ?

PERDICAN.– Mercredi, je crois, ou mardi. Comme te voilà métamorphosée en femme ! Je suis donc un homme, moi ! Il me semble que c'est hier que je t'ai vue pas plus haute que cela.

LE BARON.– Vous devez être fatigués ; la route est longue, et il fait chaud.

PERDICAN.– Oh ! mon Dieu, non. Regardez donc, mon père, comme Camille est jolie !

LE BARON.– Allons, Camille, embrasse ton cousin.

CAMILLE.– Excusez-moi.

LE BARON.– Un compliment vaut un baiser ; embrasse-la, Perdican.

PERDICAN.– Si ma cousine recule quand je lui tends la main, je vous dirai à mon tour : Excusez-moi ; l'amour peut voler un baiser, mais non pas l'amitié.

CAMILLE.– L'amitié ni l'amour ne doivent recevoir que ce qu'ils peuvent rendre.

Selon l'indication donnée par Musset dans le texte même de la pièce, « Perdican entre d'un côté, Camille de l'autre ». Cette entrée symétrique a été annoncée quelques instants auparavant à Bridaine par le baron : « Ma nièce sera introduite par cette porte à gauche, et mon fils par cette porte à droite ». Le baron faisant face au public, la figure est pour nous inverse : nous verrons Camille à notre droite et Perdican à notre gauche.

Il convient, pensons-nous, que le baron, assis jusque là, se lève à l'entrée de sa nièce, en signe d'accueil, sans esquisser toutefois de mouvement ni vers Camille ni vers Perdican, d'abord parce qu'il appartient aux jeunes gens d'aller jusqu'à lui, ensuite parce qu'ainsi le veut, d'un point de vue scénique, le rôle qu'il entend tenir : il est le médiateur ; c'est auprès de lui, sous son regard paternel, que Perdican et Camille sont invités à renouer leurs liens affectueux d'autrefois. Aussi les désigne-t-il d'abord ensemble, comme ses *enfants*, avant de les désigner séparément, mais symétriquement : *ma chère Camille, mon cher Perdican* et de les inviter ainsi à la double effusion qu'il a d'avance, en quelque sorte, organisée : *embrassez-moi, et embrassez-vous*.

Cette invitation appelle implicitement, de sa part, les bras ouverts pour l'accolade paternelle ; puis, de la part des jeunes gens, un élan convergent vers lui. Perdican a cet élan attendu : en quelques pas rapides, il s'est porté au centre de la scène, tout près du baron ; il se sent tout joyeux de ces retrouvailles ; cette joie doit se marquer dans la vivacité de son mouvement, comme elle se marque par les mots qu'il emploie et par le triple point d'exclamation qui les souligne. Il donne à Camille le nom de *sœur*, admis à l'époque entre cousins germains, mais plus tendre que celui de cousine ; il accentue cette nuance de tendresse par l'épithète *bien-aimée*, ce terme n'impliquant cependant rien d'autre encore qu'un sentiment tout fraternel, entretenu bien vivant dans son cœur grâce au souvenir d'une étroite camaraderie d'enfance.

Camille parle la seconde, marquant déjà par là qu'elle est la moins empressée. La réserve de sa réplique contraste avec la chaleur de celle de Perdican. Si elle consent à nommer *père* son oncle le baron (par une extension de sens également conforme aux usages de l'époque), elle n'accorde à Perdican que le titre strict de *cousin.* Elle s'interdit toute expansion dans le langage comme dans les gestes. D'où une brièveté de propos sèche et coupante, qui s'oppose à l'exclamation redondante de Perdican *Quel bonheur ! que je suis heureux !* D'où encore, opposée au familier *Bonjour,* la formule plus guindée *je vous salue.* D'où, surtout, comme nous pouvons l'imaginer encore pour la mise en scène, l'immobilité de la jeune fille : elle se garde d'aller à l'embrassade ; elle ne bouge pas et, en bonne pensionnaire de couvent, elle sacrifie à la politesse par une révérence. Dès lors, la symétrie scénique est rompue ; Camille demeure à quelque distance du baron, dont Perdican s'est rapproché, et Perdican, au lieu de lui ouvrir ses bras, ne peut que, de loin, la contempler.

Il n'y manque pas. Il ne paraît pas avoir remarqué encore la froideur d'attitude adoptée par Camille, car il est ébloui. Il s'est souvenu tendrement de la fillette ; il découvre en un regard la jeune fille. Camille est *grande* maintenant ; elle est *belle comme le jour.* Ces deux constatations, il les énonce avec naïveté, avec ferveur aussi, et deux points d'exclamation s'ajoutent aux trois de la réplique précédente ; ainsi se manifeste encore son euphorie de jeune homme enfin libéré de ses études et tout entier à la découverte des joies de la vie. Aucune complication, aucun trouble ne se mêle à cette découverte ; si différentes que soient la Camille d'autrefois et celle d'aujourd'hui, il a retrouvé tout naturellement, en s'adressant à sa cousine, le tutoiement ancien. Or, comme si Camille craignait d'y répondre, elle garde le silence ; peut-être même pince-t-elle les lèvres en entendant l'hommage qui lui est rendu, comme si cet hommage pourtant si spontané, si innocent, si autorisé par les convenances, dans la bouche d'un ami d'enfance et d'un cousin, lui apparaissait choquant ou importun.

Un court silence doit suivre, pour marquer la gêne éprouvée par le baron, surpris de voir que l'entretien ne se déroule pas selon ses prévisions, et réduit, pour le nourrir, à improviser. D'où sa question, d'ailleurs naturelle, mais qui ne s'imposait pas et qui ressemble à une diversion : *Quand as-tu quitté Paris, Perdican ?*

Cette question, c'est à peine si Perdican l'entend ; il y répond avec une imprécision négligente : *Mercredi, je crois, ou mardi.* S'il daignait réfléchir, il pourrait dire, certes, si c'est mercredi ou mardi. Mais il demeure tout entier à la contemplation de Camille. Aussi n'a-t-il pas ressenti, pour sa part, cette gêne que nous avons supposée avec vraisemblance chez le baron, ni cette inquiétude que le spectateur commence à éprouver. L'éblouissement est trop vif pour lui laisser la ressource d'un regard critique sur la situation. D'où ses deux nouvelles exclamations: *Comme te voilà métamorphosée en femme! Je suis donc un homme, moi !* La première paraît dans la ligne des précédentes, mais la prolonge dans une direction nouvelle : si Camille est grande et belle, c'est qu'elle est devenue *femme.* Cette indication signifie que l'amitié d'autrefois ne saurait garder le même caractère ; elle ne peut plus être celle de deux enfants, mais d'une jeune fille et d'un jeune homme. Perdican, quoique ayant vécu déjà, comme il en conviendra plus tard, a gardé une fraîcheur enfantine et a encore besoin de prendre conscience que l'âge d'homme est arrivé pour lui ; il fait cette découverte en revoyant sa cousine, en s'avisant qu'il a dû, bien sûr, changer comme elle, et une telle découverte s'accompagne de quelque surprise. *Il me semble que je ne l'ai vue pas plus haute que cela :* voilà une remarque comme on peut en entendre beaucoup dans la vie courante, car il est vrai que nous oublions, en vivant, de prendre garde au temps qui s'écoule et qu'il faut un regard rétrospectif pour mesurer une distance que la succession des instants n'a pas permis de contrôler au passage. Mais l'observation banale en elle-même prend ici une valeur psychologique et dramatique particulière. Passer de l'enfance à l'âge adulte, telle a été la grande affaire pour Musset lui-même ; telle a été l'une des préoccupations centrales qui transparaissent dans ses plus grandes œuvres dramatiques. Il a voulu préserver en lui l'esprit d'enfance et c'est le même vœu qu'a formulé le chœur à propos de Perdican : « Puissions-nous retrouver l'enfant dans le cœur de l'homme ». Perdican entrevoit ici pour la première fois qu'un problème est posé dans cette mutation imposée par la nature, sans toutefois se laisser envahir par une inquiétude qui n'est pas dans son caractère et que l'attitude de sa cousine n'a même pas encore suffi à éveiller.

Camille pourrait se laisser attendrir par la gentillesse et la simplicité de ce cousin. Mais non ! Sans que nous puissions pénétrer encore l'énigme de sa réserve, elle demeure muette. Le baron, gêné tout à l'heure, sent sa gêne s'accroître presque jusqu'au désarroi. Il doit encore intervenir pour tenter d'animer la conversation, au moment où, du fait d'un des partenaires, elle risque de tomber. Ainsi lance-t-il des propos oiseux, qui témoignent de sa vaine bonne volonté, et dont la banalité se nuance, de ce fait, d'une saveur légèrement comique : *Vous devez être fatigués ; la route est longue, et il fait chaud.* C'est, de nouveau, aux deux jeunes gens qu'il s'adresse, pour les rapprocher et tenter d'établir entre eux un contact.

La nouvelle réplique de Perdican ressemble à la précédente. Elle est tout aussi distraite dans les premiers mots : Perdican ne se préoccupait pas de se souvenir exactement s'il avait quitté Paris mardi ou mercredi ; il ne se demande pas davantage s'il est *fatigué*, ni si la route a été *longue*, ni s'*il fait chaud*. Il répond *non*, sans qu'on sache seulement à quoi s'applique ce *non* ; cette fois encore, il a à peine entendu. Il continue à regarder Camille et à subir l'enchantement de sa vue ; il n'a d'autre idée à exprimer que cet enchantement ; et comme le silence redoublé de la jeune fille commence à le déconcerter, c'est à son père, cette fois, qu'il l'exprime : *Regardez donc, mon père, comme Camille est jolie !*

Le baron, qui a passé l'âge des éblouissements ingénus, s'il l'a jamais eu, ne relève pas le propos et se borne à en prendre implicitement prétexte pour éveiller de bonnes dispositions chez Camille. Avec une bonhomie qui se voudrait entraînante, il renouvelle son invitation à l'embrassade : *Allons, Camille, embrasse ton cousin.* Camille répond : *Excusez-moi,* ce qui, dans la langue du temps, signifie une dérobade polie (excusez-moi de ne pas faire ce que vous me demandez). Sa première réplique avait été soulignée d'une révérence, la seconde s'accompagne d'un signe de croix, comme l'indique expressément une parole ultérieure du baron à Bridaine : « *Excusez-moi !* Avez-vous vu qu'elle a fait mine de se signer ? » Ce geste a été esquissé à peine ; ce n'est pas la démonstration ostentatoire de Tartuffe, mais la réaction défensive d'une pensionnaire de couvent à qui on a appris à se prémunir contre les pièges du démon et qui voit dans l'invite la plus innocente une menace dirigée contre sa pureté virginale : « Je n'aime pas les attouchements », dira-t-elle plus loin à Perdican.

Le parti-pris bonhomme du baron qui, après avoir voulu tout prévoir, voudrait bien tout raccommoder, se manifeste de nouveau d'une façon plaisante, à l'adresse, cette fois, de Perdican : *Un compliment vaut un baiser ; embrasse-la, Perdican.* Perdican demeure, en cet instant, près du baron et Camille à quelque distance de lui. Va-t-il aller vers elle ? On peut imaginer que oui et que, s'étant rapproché, n'osant l'embrasser sans un geste consentant de sa part, il lui a tendu la main, mais qu'au lieu de répondre en tendant la sienne, elle a reculé. Ce jeu de scène implicite éclairerait, dans la bouche de Perdican, le début de la dernière réplique : *Si ma cousine recule quand je lui tends la main, je vous dirai à mon tour : Excusez-moi.* La froideur de Camille a brisé son élan ; à son tour, il s'immobilise et il n'ose décidément plus s'adresser à celle qui, après avoir refusé de s'approcher, s'est éloignée ; c'est donc au baron qu'il s'adresse et qu'il dit à son tour : *Excusez-moi :* « Excusez-moi » de ne pas faire ce que vous venez de me demander et de ne pas considérer, devant l'attitude de ma cousine, qu'un baiser doit nécessairement couronner mon compliment de tout à l'heure. Le voilà même qui ajoute une nuance un peu vive, comme pour une mise au point : *l'amour peut voler un baiser, mais non pas l'amitié.* A coup sûr, il a déjà volé des baisers ; mais, piqué au vif par la dérobade de Camille, il tient à préciser qu'avec elle, il ne s'est agi pour lui que d'amitié ; il suggère aussi, en libertin qu'il demeure avant l'épreuve décisive, que l'amour peut disposer d'autrui, que l'amitié seule appelle une entente préalable et réciproque.

La riposte de Camille est d'une sécheresse décisive : *L'amitié ni l'amour ne doivent recevoir que ce qu'ils peuvent rendre.* Camille reprend les deux mots qu'a employés Perdican, mais dans l'ordre inverse, créant ainsi un chiasme qui souligne l'opposition des deux jeunes gens. Elle est en garde contre l'amour, donc contre toute surprise sensuelle ; mais elle ne souhaite même pas nourrir cette autre sorte d'échanges humains qui se nomme amitié, tant il est vrai, comme elle l'assurera plus tard, qu'elle se considère, déjà, comme étrangère à ce monde ou du moins qu'elle est prête à en refuser les séductions les plus innocentes.

Ainsi s'achève, sur des mots cinglants et apparemment sans réplique, une scène qui, selon la logique du baron, devait préluder à des fiançailles entre deux jeunes gens paraissant destinés à s'aimer. Camille, demeurée à droite de la scène, va tourner le dos à son cousin pour regarder, non sans quelque affectation, le portrait de sa bisaïeule ; Perdican, regagnant le côté gauche, va se pencher sur un héliotrope dont il respire le parfum : lui aussi aura tourné le dos. Cette opposition symétrique répond à l'entrée symétrique ordonnée par le baron et consacre la gravité d'un malentendu qui, surgi en quelques phrases, crée virtuellement un conflit insoluble.

LA FORTUNE DE LA PIÈCE

On ne badine pas avec l'amour est sans doute aujourd'hui, avec *Lorenzaccio*, la pièce la plus célèbre d'Alfred de Musset. Cette consécration a été lente à venir. Lorsque l'œuvre parut en revue, puis en volume, à la date de 1834, elle passa presque inaperçue. On ne la distingua guère non plus, en 1840, dans l'édition des *Comédies et Proverbes*. Du vivant de son auteur, mort en 1857, elle n'a jamais été jouée.

C'est Paul de Musset qui, en 1859, conçut le projet de la faire représenter. Il prépara une adaptation, qu'il soumit à Edouard Thierry, administrateur de la Comédie Française. Le 18 janvier 1860, Thierry lui annonçait que le Comité de lecture avait reçu la pièce, « non pas qu'il l'ait trouvée précisément faite, mais parce que les morceaux en sont si bons qu'il a pensé qu'on finirait toujours par la faire en la répétant ». Paul de Musset devait donc, d'avance, accepter les modifications qui allaient lui être demandées par l'administrateur et par les comédiens. L'affaire traîna pendant toute une année.

Edouard Thierry, le 13 avril 1861, proposa de créer *On ne badine pas avec l'amour* en juillet ou en août suivant, assurant que les mois d'été « n'ont jamais tué que les pièces mortes, et ont laissé fleurir les justes succès ». Paul de Musset ne l'entendit pas ainsi. Il fit appel au duc de Morny, président du Corps législatif, afin d'obtenir cette création à une meilleure date, sans avoir à attendre la saison suivante.

139

On ne sait si une intervention officielle eut lieu. Quoi qu'il en soit, la pièce fut présentée au public le 18 novembre 1861 ; le rôle de Perdican avait été confié à Delaunay, le plus illustre jeune premier de l'époque ; celui de Camille, à Melle Favart. Elle allait, presque simultanément, paraître en librairie, chez Charpentier, dans sa version nouvelle.

Encore a-t-il fallu tenir compte de la censure. *Les Caprices de Marianne* avaient déjà souffert, dix ans plus tôt, des rigueurs de cette institution. Or l'actualité rendait particulièrement vive la vigilance du gouvernement. Plusieurs journaux discutaient le statut des congrégations religieuses, que le ministre de l'Instruction Publique envisageait de modifier. D'autre part, le parti catholique ressentait durement l'échec subi par la politique de l'Empereur à Castelfidardo : une petite armée pontificale, soutenue par un contingent français, avait été vaincue par les troupes de Victor-Emmanuel, luttant pour l'unité italienne. Beaucoup de catholiques songeaient à rejoindre l'opposition : il paraissait opportun de les ménager.

Le rapport des censeurs reflète ces préoccupations d'opportunité. Ils déclarent la pièce « remarquable » et lui décernent un bel hommage en estimant que le talent manifesté « entraîne même à leur insu les lecteurs officiels chargés d'en signaler les inconvénients ». Ils ajoutent cependant : « il est impossible [...] de ne pas regretter profondément le souffle d'irréligion qui parcourt tout l'ouvrage et en ressort invinciblement ». Ils précisent qu'une grande partie du public « sera, surtout dans les circonstances actuelles, frappée de l'esprit général de l'ouvrage, dont l'autorisation pourra paraître une espèce de manifeste, une concession dans le sens des réclamations d'une partie de la presse contre les associations religieuses ». Ils déclarent que, dans ces conditions, ils ne peuvent prendre sur eux de donner cette autorisation, mais qu'ils s'en remettent à l'avis ministériel. Ce rapport était accompagné de suggestions, en vue de nouveaux aménagements que l'on jugeait nécessaires. Des contraintes d'une telle nature ont pesé sur le texte, déjà adultéré, qu'avait établi Paul de Musset.

On se souvient que, dans *Les Caprices de Marianne*, Claudio, juge, devenait podestat pour rassurer la magistrature française ; dans *On ne badine pas avec l'amour*, Bridaine, curé, devient tabellion pour rassurer le clergé. Aussi, partout où se rencontrait le mot « curé », appliqué à Bridaine, ou une quelconque allusion à son état de prêtre, Paul de Musset dut-il intervenir. Son attention fut en défaut à l'acte III, où maître Blazius, voyant arriver Bridaine, s'écrie : « Il me semble que voilà le curé » et lui demande : « Oh ! oh ! monsieur le curé, que faites-vous là ? » L'édition de 1861 ne mentionne ici aucune correction, d'où, dans le texte, un curieux flottement.

Mis à part cet oubli, il apparaît évident qu'en modifiant ainsi l'état social de Bridaine, on faussait assez sensiblement l'esprit de l'auteur, dont la malignité s'était exercée contre un représentant de l'Église. Mais beaucoup plus importantes sont les coupures qui mutilent, à l'acte II, la grande scène de la fontaine entre Camille et Perdican. Paul de Musset a dû, en particulier, éliminer toute allusion un peu hardie aux choses de l'amour ou de la religion, et toute attaque contre la vie de couvent. Voici, choisis parmi d'autres, quelques passages supprimés :

p.77-78. Depuis « Tous les jours il en meurt [des religieuses] dans nos dortoirs » jusqu'à « je ne crois pas à la vie immortelle » (quatorze répliques).

p.78. « Voilà mon amant. (*Elle montre son crucifix.*) — Cet amant-là n'exclut pas les autres. — Pour moi, du moins, il les exclura. ».

p.82. « Eh bien ! Camille, ces femmes ont bien parlé ; elles t'ont mise dans le vrai chemin ; il pourra m'en coûter le bonheur de ma vie ; mais dis-leur cela de ma part : le ciel n'est pas pour elles. — Ni pour moi, n'est-ce pas ? »

Paul de Musset avait pris, d'autre part, des initiatives d'une nature différente, destinées à faciliter la mise en scène. Ainsi les décors étaient-ils réduits à trois. Pour l'acte premier : « Salle d'entrée du château » ; pour l'acte II : « Paysage pittoresque sur la lisière d'un bois » ; pour l'acte III : « Un petit salon au château ». Ces simplifications étaient conformes aux habitudes de l'époque. Le découpage par scènes dont le théâtre de Shakespeare donnait l'exemple n'était guère entré dans les usages, malgré l'effort du romantisme. Mais une telle économie de décors, appliquée à la pièce de Musset, en rétrécissait l'horizon et sacrifiait certains effets. Les dernières scènes, si elles se déroulent, non plus dans la chambre de Camille et dans un oratoire, mais dans un « petit salon », perdent une partie de leur puissance de concentration et de leur efficacité.

Paul de Musset avait, en outre, apporté certaines modifications dans l'économie de la pièce, annexant à l'acte premier la scène première de l'acte II, à l'acte II les scènes II et III de l'acte III, après suppression de la scène première. Ainsi les trois actes devenaient-ils de longueur sensiblement égale. Mais ce meilleur équilibre valait-il la peine de renoncer au découpage conçu par Alfred de Musset ? L'auteur savait ce qu'il faisait, en terminant l'acte premier par des calembredaines du baron, ou l'acte II par la si belle phrase empruntée à une lettre de George Sand : « C'est moi qui ai vécu, et non pas un être factice créé par mon orgueil et mon ennui ».

D'autres retouches montrent d'ailleurs que l'adaptateur reculait systématiquement devant le brio lyrique de certaines phrases terminales, et qu'en s'efforçant de renforcer l'armature dramatique, il créait des répliques insipides, qui empêchent le spectateur de s'abandonner aux suggestions de l'éloquence et de la poésie. En cette fin de l'acte II, Camille, à la dernière tirade exaltée de Perdican, qui, dans le texte original, la laisse muette, riposte dans la version de Paul de Musset : « Je leur dirai ce que vous m'avez répondu » ; et Perdican, au lieu de laisser la chance à Camille de mûrir en elle les propos qu'il vient de lui tenir, répète pesamment son conseil antérieur : « Va, je te conseille de prendre le voile », qui, ainsi repris, ruine l'effet de son langage précédent. De même, dans l'acte premier, à la fin de la scène II, Paul de Musset ajoute fâcheusement à la parole suggestive de Perdican, bien résolu à oublier sa botanique et les particularités de la fleur nommée héliotrope : « je trouve qu'elle sent bon, voilà tout », cet aparté très fade de maître Blazius : « Une éducation manquée, je m'en doutais ». De même encore, dans la scène III de l'acte III, qui s'achevait par l'appel éloquent de Perdican à Rosette : « lève-toi, tu seras ma femme, et nous prendrons racine ensemble dans la sève du monde tout-puissant », il introduit un aparté de Rosette : « Sa femme ! Est-ce possible ? » et le rideau tombe sur cette platitude.

L'acteur Delaunay note dans ses *Souvenirs* : « Le succès ne vint pas tout de suite à *Badine*. Les chœurs à l'antique du premier acte, certaines originalités et un style jugé trop poétique pour une comédie en prose trouvèrent des détracteurs. Thierry tint bon et, peu à peu, la satisfaction du public monta en même temps que les recettes ». Francisque Sarcey donne une indication analogue : « Je me le rappelle fort bien, la première représentation ne laissa pas d'étonner et de déconcerter le public. Il fut sensiblement touché, comme il devait l'être, de certaines scènes, qui l'enlevèrent comme elles l'ont toujours fait depuis. » Bref l'œuvre s'imposa avec quelque difficulté, et non pas par sa poésie, mais, si on peut ainsi s'exprimer, malgré sa poésie, malgré les audaces lyriques, l'originalité d'invention et la fantaisie qui, indépendamment de l'intérêt du drame, en font aujourd'hui la saveur. Elle connut toutefois une reprise brillante en 1881, avec Le Bargy dans le rôle de Perdican et Julia Bartet dans celui de Camille.

On ne badine pas avec l'amour a été longtemps joué dans la version établie par Paul de Musset. En 1923 seulement fut restaurée la version originale. Il faut en faire honneur à Charles Granval, sociétaire de la Comédie Française et metteur en scène ingénieux. Granval imagina un dispositif sur plateau tournant qui permettait, d'un tableau à un autre, des changements de décor immédiats. Cette mise en scène bénéficia d'un interprète hors de pair, Pierre Fresnay, dont Perdican fut sans doute le meilleur rôle classique. Ce rôle, il le reprit souvent. Lorsqu'il se brouilla, quelques années plus tard, avec la Comédie Française, l'administrateur

Emile Fabre, pour tenter de le retenir, eut l'idée de l'« afficher » successivement dans tous ses grands succès, et c'est la représentation de *On ne badine pas avec l'amour* qui lui valut la plus grande ovation.

Depuis lors, la pièce fut jouée aussi, notamment, par la Compagnie Renaud-Barrault, avec Jean Desailly et Simone Valère, en 1951 ; par le Théâtre National Populaire, en 1959, avec Gérard Philipe dans le rôle de Perdican et Suzanne Flon dans celui de Camille. Il y eut encore bien d'autres mises en scène au théâtre et même, à la télévision, une tentative intéressante pour donner à la pièce la dimension rêvée par Musset, grâce à un tournage dans des décors naturels, sur l'emplacement d'un château d'Ile de France dont Musset s'était peut-être souvenu. La Comédie Française a repris la pièce en 1977 et 1978, dans une mise en scène de Simon Eine, avec Daniel Huster dans le rôle de Perdican et Béatrice Agenin dans celui de Camille.

La grande scène entre Perdican et Camille demeure l'une de celles qui tentent le plus fréquemment, pour leur concours, les élèves du Conservatoire. Le célèbre film de Marc Allégret *Entrée des artistes* marquait déjà cette habitude. On y entendait Claude Dauphin la répéter avec sa partenaire en vue de l'épreuve et prononcer avec une désinvolture admirable les mots de Perdican sur ses maîtresses d'autrefois : « Que voulez-vous que je vous dise ? Je ne suis ni leur mari, ni leur frère ; elles sont allées où bon leur a semblé. »

Ainsi se sont créées, pour l'interprétation de cette pièce, de fortes traditions, qui ne sauraient d'ailleurs décourager les efforts originaux de mise en scène, car le texte soulève, dans le détail, des problèmes qui ne s'accommodent pas toujours d'une réponse exclusive. Mais, bien entendu, jamais ne saurait être remise en cause la restitution du texte original, et cette restitution d'une opportunité si évidente est une conquête du vingtième siècle.

Il arrive aujourd'hui qu'à l'occasion de quelque reprise, un critique, un journaliste, s'interroge sur la pièce et se demande si l'idéologie ou la rhétorique de son créateur ne porterait pas la marque d'une époque révolue. On fait, notamment, grief à Musset d'un lyrisme qui s'épanche parfois avec grandiloquence, d'une facilité verbale qui s'aventure dans des métaphores insistantes et dangereuses : « le monde n'est qu'un égout sans fond où les phoques les plus informes rampent et se tordent sur des montagnes de fange » (acte II, scène V, p.82). Isolées de leur contexte, de telles outrances de langage pourraient donner à sourire ; mais à la représentation elles sont emportées dans l'élan qui les a fait naître et qui, par l'intermédiaire d'un personnage, se communique de l'auteur au spectateur.

Car c'est bien l'authenticité, autant que la virtuosité, qui donne leur prix aux plus belles pièces de Musset. Il s'y est engagé tout entier. Il y a mis toute la ferveur, toute l'inquiétude aussi, de sa jeunesse, à laquelle, selon le mot de Sainte-Beuve, il n'a pas survécu. Plus tard, il aura encore des sursauts, des éclairs. Il saura puiser aussi dans la sûreté de son métier les ressources nécessaires pour écrire des pièces encore réussies, moins tendues cependant et moins pathétiques. Le temps des *Caprices de Marianne* et de *On ne badine pas avec l'amour* est vraiment le temps de ses chefs-d'œuvre, parce que, comme Musset l'a proclamé, c'est en se frappant le cœur qu'il a nourri son génie. Aussi demeure-t-il, par son théâtre, celui de nos écrivains qui a le plus exactement illustré cette parole de Chateaubriand : « On ne peint bien que son propre cœur, en l'attribuant à un autre, et le génie n'est fait que de souvenirs ».

IMAGES DE SCÈNE

1 – *On ne badine pas avec l'amour*
au Théâtre National Populaire
(février 1959).
Mise en scène de Jean Vilar.
Suzanne Flon (Camille) et Gérard Philipe (Perdican).
Photo Lipnitzki-Viollet.

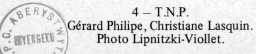

INDICATIONS
BIBLIOGRAPHIQUES

INDICATIONS BIBLIOGRAPHIQUES

TEXTES DU DIX-NEUVIÈME SIÈCLE

MUSSET – *On ne badine pas avec l'amour*, dans la *Revue des Deux Mondes*, 1er juillet 1834. Texte republié au tome II de *Un Spectacle dans un fauteuil. Prose*, deux vol., Librairie de la Revue des Deux Mondes, août 1834.

    Comédies et Proverbes, un vol., Charpentier, 1840. Plusieurs réimpressions.

    Comédies et Proverbes, deux vol., Charpentier, 1853. *On ne badine pas avec l'amour* est au tome II. Réimpression en 1856.

L'édition établie en vue de la représentation est posthume (1861). Publiée chez Charpentier, elle a été réalisée par les soins de Paul de Musset.

TEXTES DU VINGTIÈME SIÈCLE

MUSSET – *Comédies et Proverbes*, quatre vol. Texte établi et présenté par Pierre Gastinel pour le tome premier, par Françoise Gastinel pour les suivants. Société des Belles-Lettres, 1952. *On ne badine pas avec l'amour* est au tome II. La genèse de la pièce est décrite à partir de l'hypothèse d'une composition en deux temps, hypothèse qu'avait développée Pierre Gastinel en 1933 dans *Le Romantisme d'Alfred de Musset* (Hachette) et qui a été contestée depuis lors.

Théâtre complet, un vol. Edition de Maurice Allem (avec le concours de Paul Courant). Gallimard, Bibliothèque de la Pléiade, 1958. Réimpressions.

Oeuvres complètes, un vol. Edition de Philippe Van Tieghem. Collection L'Intégrale, Editions du Seuil, 1963.

Théâtre complet, un vol. Edition de Roland Chollet. La Guilde du Livre, Lausanne, 1964.

Le *Théâtre* de Musset a été publié en trois volumes dans « Le Livre de Poche », en deux volumes dans la collection « Garnier-Flammarion ».

Editions scolaires de *On ne badine pas avec l'amour* :
— à la Librairie Didier, 1961 (commentaires par Raymond Laubreaux) ;
— aux éditions Bordas, 1963, réimp. 1976 (commentaires par Maurice Martin).

MUSSET — *Textes dramatiques inédits*, publiés par Jean Richer, Nizet, 1953. (Pour quelques variantes des scènes IV et V de l'acte II).

ÉTUDES

LAFOSCADE (Léon) — *Le Théâtre d'Alfred de Musset*. Hachette, 1901. Réimprimé chez Nizet en 1966.

POMMIER (Jean) — *Variétés sur Alfred de Musset et son théâtre*. Nizet, 1947.

LEFEBVRE (Henri) — *Alfred de Musset, dramaturge*. L'Arche, 1955.

POMMIER (Jean) — *Autour du drame de Venise. G. Sand et A. de Musset au lendemain de « Lorenzaccio »*. Nizet, 1958.

MASSON (Bernard) — *Théâtre et Langage. Essai sur le dialogue dans les comédies de Musset.* Minard, 1977.

ARTICLES ET ESSAIS

SIGAUX (Gilbert) — « Alfred de Musset et son théâtre », dans le *Théâtre* d'Alfred de Musset, quatre vol., Le Club Français du Livre. (Tome IV, 1961).

SHAW (Marjorie) — « Deux essais sur les comédies d'Alfred de Musset », *Revue des Sciences humaines*, Université de Lille III et Librairie José Corti, janvier-mars 1959. (Pour le second essai, intitulé « Les proverbes dramatiques de Carmontelle, Leclercq et Alfred de Musset ».)

VIAL (André) — « A propos d'*On ne badine pas avec l'amour* », *Revue des Sciences humaines*, janvier-mars 1961.

MASSON (Bernard) — « Le masque, le double et la personne dans quelques *Comédies et Proverbes* », *Revue des Sciences humaines*, octobre-décembre 1962.

JEUNE (Simon) — « *On ne badine pas avec l'amour* et sa source impure », *Revue d'Histoire du théâtre*, avril-juin 1966.

MAUZI (Robert) — « Les fantoches d'Alfred de Musset », *Revue des Sciences humaines*, avril-juin 1966.

TABLE DES MATIERES

OUVRAGES PARUS DANS LA COLLECTION

AULOTTE (R.) — L'apologie de Raimond Sebond.

BACQUET (P.) — Le **Jules César** de Shakespeare.

BARRÈRE (J. B.) — Le Regard d'Orphée ou l'Echange poétique.

BARRÈRE (J. B.) — Claudel.

BORNECQUE (P.) — La Fontaine fabuliste.

BRUNEL (P.) — L'évocation des morts et la descente aux Enferts : Homère, Virgile, Dante, Claudel.

CASTEX (P.-G.) — Alfred de Vigny : **Les Destinées** (2e édition).

CASTEX (P.-G.) — **Le Rouge et le Noir** de Stendhal (2e édition).

CASTEX (P.-G.) — **Sylvie** de Gérard de Nerval.

CASTEX (P.-G.) — **Aurélia** de Gérard de Nerval.

CASTEX (P.-G.) — **Les Caprices de Marianne** d'Alfred de Musset.

CASTEX (P.-G.) — **On ne badine pas avec l'amour** d'Alfred de Musset.

CAZAURAN (N.) — **L'Heptaméron** de Marguerite de Navarre.

CELLIER (L.) — L'épopée humanitaire et les grands mythes romantiques.

CHOUILLET (J.) — Diderot.

COHEN (M.) — Le subjonctif en français contemporain.

COHEN (M.) — Grammaire française en quelques pages.

CRASTRE (V.) — A. Breton : Trilogie surréaliste. **Nadja, Les Vases communicants, L'Amour fou.**

DÉDÉYAN (Charles) — L'Italie dans l'œuvre romanesque de Stendhal. — Tomes I et II.

DÉDÉYAN (Ch.) — J.-J. Rousseau et la sensibilité littéraire à la fin du XVIIIe siècle.

DÉDÉYAN (Ch.) — Gérard de Nerval et l'Allemagne. — Tomes I et II.

DÉDÉYAN (Ch.) — Le cosmopolitisme littéraire de Charles du Bos :
Tome I. — La jeunesse de Ch. du Bos (1882-1914).
Tome II. — La maturité de Ch. du Bos (1914-1927).
Tome III. — Le critique catholique de l'humanisme chrétien.
DÉDÉYAN (Ch.) — Le nouveau mal du siècle de Baudelaire à nos jours.
Tome I. — Du post-romantisme au symbolisme (1840-1889).
Tome II. — Spleen, Révolte et Idéal (1889-1914).
DÉDÉYAN (Ch.) — Lesage et **Gil Blas.**
DÉDÉYAN (Ch.) — Racine : **Phèdre.**
DÉDÉYAN (Ch.) — Le cosmopolitisme européeen sous la Révolution et l'Empire. Tomes I et II.
DÉDÉYAN (Ch.) — Victor Hugo et l'Allemagne. — Tomes I et II.
DÉDÉYAN (Christian) — Alain-Fournier et la réalité secrète.
DELOFFRE (F.) — La phrase française (3e édition).
DELOFFRE (F.) — Le vers français.
DELOFFRE (F.) — Stylistique et poétique française (2e édition).
DERCHE (R.) — Études de textes français :
Tome I. — Le Moyen Age.
 » II. — Le XVIe siècle.
 » III. — Le XVIIe siècle.
 » IV. — Le XVIIIe siècle.
 » V. — Le XIXe siècle.
 » VI. — Le XIXe siècle et le début du XXe.
DONOVAN (L.-G.) — Recherches sur **Le Roman de Thèbes.**
DUCHET (C.) et collaborateurs. — Balzac et **La Peau de chagrin.**
DONOVAN (L.-G.) — Recherches sur le **Roman de Thèbes.**
DUFOURNET (J.) — La vie de Philippe de Commynes.
DUFOURNET (J.) — Les écrivains de la quatrième croisade. Villehardouin et Clari.
DUFOURNET (J.) — Recherches sur le **Testament** de François Villon (J.) — Tomes I et II (2e édition).

DUFOURNET (J.) — Adam de la Halle à la recherche de lui-même ou le jeu dramatique de **La Feuillée.**

DUFOURNET (J.) — Sur le **Jeu de la Feuillée** (Coll. Bibliothèque du Moyen Age).

DURRY (Mme M.-J.) — G. Apollinaire, **Alcools.**
Tome   I. — **Alcools** (4e édition).
  »   II. — (2e édition).
  »   III. — (2e édition).

ETIEMBLE (Mme J.) — Jules Supervielle — Etiemble : **Correspondance 1936-1959.** Edition critique.

FAVRE (Y. A.) — Giono et l'art du récit.

FRAPPIER (J.) — Les Chansons de geste du Cycle de Guillaume d'Orange.
Tome   I. — **La Chanson de Guillaume - Aliscans - La Chevalerie Vivien** (2e édition).
Tome II. — **Le Couronnement de Louis - Le Charroi de Nîmes - La Prise d'Orange.**

FRAPPIER (J.) — Etude sur **Yvain ou le Chevalier au Lion** de Chrétien de Troyes.

FRAPPIER (J.) — Chrétien de Troyes et le Mythe du Graal. Etude sur Perceval ou le Conte du Graal.

FORESTIER (L.) — Chemins vers **La Maison de Claudine** et **Sido.**

GARAPON (R.) — Le dernier Molière.

GARAPON (R.) — **Les Caractères** de La Bruyère.

GRIMAL (P.) — Essai sur l'**Art poétique** d'Horace.

JONIN (P.) — Pages épiques du Moyen Age Français. Textes - Traductions nouvelles - Documents. **Le Cycle du Roi.** Tomes I (2e édition) et II.

LABLÉNIE (E.) — Essais sur Montaigne.

LABLÉNIE (E.) — Montaigne, auteur de maximes.

LAINEY (Y.) — Les valeurs morales dans les écrits de Vauvenargues.

LAINEY (Y.) — Musset ou la difficulté d'aimer.

LARTHOMAS (P.) — Beaumarchais. **Parades.**

LE HIR (Y.) — L'originalité littéraire de Sainte-Beuve dans **Volupté.**

LE RIDER (P.) — Le Chevalier dans le **Conte du Graal** de Chrétien de Troyes. (Coll. Bibliothèque du Moyen Age.)

MARRAST (R.) — Aspects du théâtre de Rafaël Alberti.

MESNARD (J.) — Les **Pensées** de Pascal.

MICHEL (P.) — Continuité de la sagesse française (Rabelais, Montaigne, La Fontaine).

MICHEL (P.) — Blaise de Monluc (Travaux dirigés d'agrégation).

MOREAU (P.) — La critique selon Sainte-Beuve.

MOREAU (P.) — Sylvie et ses sœurs nervaliennes.

PAYEN (J.-Ch.) — Les origines de la Renaissance.

PICARD (R.) — La poésie française de 1640 à 1680.
« Poésie religieuse, Epopée, Lyrisme officiel » (2e édition).

PICARD (R.) — La poésie française de 1640 à 1680.
« Satire, Epitre, Poésie burlesque, Poésie galante ».

PICOT (G.) — La vie de Voltaire. Voltaire devant la postérité.

RAIMOND (M.) — Le signe des temps. **Le roman français contemporain** (Tome I).

RAYNAUD DE LAGE (G.) — Introduction à l'ancien français (9e édition).

ROBICHEZ (J.) — Le Théâtre de Montherland. **La Reine morte, Le Maître de Santiago, Port-Royal.**

ROBICHEZ (J.) Le Théâtre de Giraudoux.

SAULNIER (V.-L.) — Les élégies de Clément Marot (2e édition).

THERRIEN (M.-B) — **Les Liaisons dangereuses.** Une interprétation psychologique des trois principaux caractères.

TISSIER (A.) — **Les Fausses confidences** de Marivaux.

VERNIÈRE (P.). — Montesquieu et **L'Esprit des Lois** ou la Raison impure.

VIAL (A.-M.) — La dialectique de Chateaubriand.

VIER (J.) — Le Théâtre de Jean Anouilh.

WAGNER (R.-L.) — La grammaire française.
Tome I : Les niveaux et les domaines. Les normes. Les états de langue.
Tome II : La grammaire moderne. Voies d'approche. Attitudes des grammairiens.

WEBER (J.-P.) — Stendhal : les structures thématiques de l'œuvre et du destin.

Composé par C.D.U. et SEDES
Imprimé par Imprimerie JOUVE
17, rue du Louvre, 75001 Paris
N° éditeur : 797 — Dépôt légal : 1er trimestre 1979